A Editora Hunter Books dedica a publicação desta obra à:
Joaquim Varela de Lima

DOS DELITOS E DAS PENAS

Diretor Geral
ADO VARELA

Coordenação editorial
LUMIAR DESIGN ESTÚDIO
DOMINIQUE MAKINS

Revisão
CARITA FERRARI NEGROMONTE

Projeto gráfico e capa
LUMIAR DESIGN ESTÚDIO

Coordenação de produção
EQUIPE EDITORIAL HUNTERBOOKS EDITORA

Impresso no Brasil
Printed in Brazil

DOS DELITOS E DAS PENAS

Cesare Beccaria

TRADUÇÃO:
Neury Carvalho Lima

HUNTER
BOOKS

Título original:
DEI DELITTI E DELLE PENE
Em inglês: AN ESSAY ON CRIMES AND PUNISHMENTS
ESCRITO PELO MARQUÊS BECCARIA, DE MILÃO.
COM COMENTÁRIOS ATRIBUÍDOS A MONSIEUR VOLTAIRE.

1ª edição – Fevereiro de 2012

Grafia atualizada segundo o Acordo Ortográfico da Língua Portuguesa
de 1990, que entrou em vigor no brasil em 2009.

HUNTER BOOKS EDITORA
Rua Domingos Bicudo, 385
São Paulo - SP
CEP 05855-300

editorial@hunterbooks.com.br
comercial@hunterbooks.com.br
hunterbooks.com.br

DADOS INTERNACIONAIS DE CATALOGAÇÃO NA PUBLICAÇÃO (CIP)
(Elaboração: Aglaé de Lima Fierli CRB- 9/412)

B353d Beccaria, Cesare, 1738-1794.
Dos delitos e das penas / Cesare Beccaria; tradução de Neury Carvalho Lima. —São Paulo: Hunter Books, 2012.
128p. : 13x21cm.

Publicado originalmente em italiano em 1764
ISBN: 978-85-65042-07-9

1. Pena - Direito. 2. Delito. 3. Direito Penal. 4. Leis Penais. I. Título. II. Carvalho Lima, Neury, trad.

CDD – 345.077

INDICE PARA CATÁLOGO SISTEMÁTICO

Direito : Delito : Pena	345.07
Penas : Organização Judicial	345.0773
Leis Penais : Delito : Direito	345.02
Direito penal : Leis : Interpretação	345.026

ÍNDICE

INTRODUÇÃO

Em toda sociedade humana, há um esforço tendendo continuamente a conferir a uma parte o auge do poder e da felicidade e a reduzir a outra à extrema fraqueza e miséria. A intenção das boas leis é de opor esse esforço e difundir sua influência universal e igualmente. Porém, os homens geralmente abandonam o cuidado de suas mais importantes preocupações à incerta prudência e critério daqueles cujo interesse é o de rejeitar as melhores e mais sábias instituições; e não é até que sejam levados a milhares de erros relativos ao mais essencial de suas vidas e liberdades e estejam cansados de sofrer, que podem ser induzidos a aplicar uma reparação aos males a que são oprimidos. Só então começam a conceber e reconhecer a mais palpável verdade que, por sua simplicidade, lhes escapa de suas mentes vulgares, incapazes de analisar objetos e acostumados a receber impressões sem distinção, determinada mais pela opinião de outrem, do que por sua própria avaliação.

Se olhássemos a história, veríamos que leis que são, ou deveriam ser, convenções entre homens em estados de liberdade têm sido, principalmente, o trabalho de poucos apaixonados ou as consequências de necessidades fortuitas ou temporárias, não ditadas por um frio examinador da natureza humana que soubesse como acumular em um só ponto as ações de uma multidão e as considerasse, sob essa ótica, a máxima felicidade do maior número de homens.

Felizes são aquelas poucas nações que não esperaram até que a sucessão de vicissitudes humanas, do extremo da maldade, fizesse surgir uma transição para o bem, mas que, por leis prudentes, facilitaram o progresso de um para o outro! E quanto deve ser grande a gratidão da humanidade ao filósofo que, da obscuridade de seu escritório, teve a coragem de espalhar entre a multidão a semente das úteis verdades, por tanto tempo infrutíferas!

A arte da impressão difundiu o conhecimento dessas verdades filosóficas, pelas quais a relação entre soberanos e seus súditos, e entre nações são descobertas. Por esse conhecimento, o comércio foi animado e surgiu um espírito de concorrência e indústria, digno de seres racionais.

Este é o produto desta era iluminada. Mas a crueldade das penas e a irregularidade dos procedimentos em casos de crimes, tão fundamental parte da legislação e tão negligenciada por toda a Europa, nunca foi trazida à baila. Esforços acumulados por muitos séculos ainda não foram expostos pela ascensão dos princípios gerais, nem jamais foi a força das verdades conhecidas oposta à excessiva licenciosidade do poder mal dirigido, que continuamente produz tantos exemplos não autorizados da mais insensível barbárie. Seguramente, o lamento dos fracos, sacrificados à cruel ignorância e indolência dos poderosos, os bárbaros tormentos infligidos e multiplicados com inútil severidade por crimes não provados ou de natureza impossível, a imundice e horror das prisões, acentuado pelo mais cruel torturador de miseráveis e pela incerteza, deveriam despertar a atenção daqueles cuja função é direcionar a opinião da humanidade.

O imortal Montesquieu tocou apenas levemente nesse tema. A verdade, que é eternamente a mesma, obrigou-me a seguir os passos desse grande homem, mas a porção estudiosa da humanidade, para quem escrevo, distinguirá facilmente as fundações da cobertura. Ficarei feliz se, com ele, puder obter os agradecimentos secretos dos obscuros e pacíficos discípulos da razão e da filosofia e inspirar aquela suave emoção na qual mentes sensíveis simpatizam com aquele que pleiteia pela causa da bondade humana.

DA ORIGEM DAS PENAS

Leis são as condições sob as quais os homens, naturalmente independentes, unem-se em sociedade. Cansados de viver em um contínuo estado de guerra e de gozar uma liberdade que se tornou de pouco valor, a causa das incertezas quanto à sua duração, eles sacrificam uma parte dela para viver o restante em paz e segurança.

A soma de todas essas porções da liberdade individual constitui a soberania de uma nação e foi depositada nas mãos do soberano, como administrador legal. Mas não foi suficiente apenas estabelecer esse depósito; também foi necessário defendê-lo da usurpação de cada indivíduo, que sempre se empenhará para não apenas tomar da massa sua própria porção, mas também usurpar aquela de outros. Portanto, alguns motivos que agridem os sentidos necessitaram ser criados para impedir que o despotismo individual mergulhasse a sociedade, novamente, em seu antigo caos. Esses motivos são as penas estabelecidas contra os infratores da lei. Eu digo que motivos como esses são necessários, porque a experiência mostra que a multidão não adota os princípios estabelecidos de conduta e porque a sociedade não se afasta da dissolução que se observa nos universos físico e moral senão por motivos que são objeto imediato dos sentidos e que, estando continuamente presentes na mente, são suficientes para contrabalançar os efeitos do interesse do indivíduo que se opõe ao bem geral. Nem a força da eloquência nem a mais sublime das verdades são suficientes para restringir, por qualquer período de tempo, aquelas paixões que são inspiradas pelas vivazes impressões dos objetos presentes.

DO DIREITO DE PUNIR

Toda pena que não advier da absoluta necessidade, diz o grande Montesquieu, é tirânica. Uma proposição que pode tornar-se mais geral assim: todos os atos de autoridade de um homem sobre outro, que não derivem de absoluta necessidade, são tirânicos. É sobre isso que está fundamentado o direito do soberano em punir os crimes; ou seja, sobre a necessidade de defender a liberdade pública, confiada a seus cuidados, da usurpação por indivíduos; e as penas são tão justas quanto mais sagrada e inviolável é a liberdade que o soberano preserva aos súditos.

Consultemos o coração humano e lá deveremos encontraremos os fundamentos do direito que o soberano tem para punir os delitos, pois não é de se esperar qualquer benefício durável da política moral se ela não for fundamentada nos sentimentos indeléveis do coração do homem. Qualquer lei que se desviar desse princípio encontrará sempre resistência que ao final a destruirá, pois uma força mínima continuamente aplicada vence qualquer movimento violento aplicado a um corpo.

Nenhum homem jamais abriu mão de sua liberdade em prol do bem público. Tal quimera existe somente nos romances. Se fosse possível, cada indivíduo desejaria estar isento dos pactos que ligam o restante da humanidade.

A multiplicação do homem, embora lenta, porém muito superior aos meios que a terra, em seu estado natural, oferecia para satisfazer as necessidades que se tornavam a cada dia mais numerosas, obrigou o homem a separar-se novamente e formar mais sociedades. Estas, naturalmente, se opuseram às primeiras, e um estado de guerra foi transferido dos indivíduos para as nações.

Assim, foi a necessidade que forçou o homem a abrir mão de parte de sua liberdade. É certo, então, que cada indivíduo disporia ao depósito público a mínima porção possível de sua liberdade, suficiente apenas para induzir outros a defendê-lo. O agregado dessas mínimas porções possíveis forma o direito de punir. Tudo o que vai além disso é abuso, não justiça.

Observe que por justiça eu entendo nada mais do que o vínculo necessário para manter unidos os interesses individuais, sem os quais o homem retornaria a seu estado original de barbárie. Toda pena que excede à necessidade de preservar esse vínculo é, por natureza, injusta. Devemos ser cautelosos em não associar com a palavra justiça a ideia de algo real, como de uma força física ou de um ser que realmente existe. Não falo, de forma alguma, sobre a justiça de Deus, que é de outro tipo e refere-se imediatamente a recompensas e penas da vida após a morte.

CONSEQUÊNCIAS (DOS PRINCÍPIOS DA PRECEDÊNCIA)

A primeira consequência dos princípios da lei é que somente elas podem determinar a pena para crimes, e a autoridade para aplicar as leis penais só pode residir no legislador, que representa toda a sociedade, unida por um pacto social. Nenhum magistrado (que é parte da sociedade) pode, com justiça, infligir a qualquer outro membro da mesma sociedade penas não estabelecidas por lei. Mas uma pena, além dos limites fixados pela lei, é a pena justa mais uma pena adicional; portanto, não pode um magistrado, sob qualquer pretexto de zelo ou de bem público, aumentar a pena estabelecida a um cidadão delinquente.

A segunda consequência é que, se cada indivíduo é comprometido com a sociedade, a sociedade é igualmente comprometida com o indivíduo por um contrato que, por sua natureza, obriga ambas as partes. Esse comprometimento, que desce desde o trono até o casebre e igualmente vincula o mais poderoso ao mais miserável dos homens, significa que é interesse de todos que as convenções úteis à maioria sejam observadas. A violação desse pacto por qualquer indivíduo é uma introdução à anarquia.

O soberano que representa a própria sociedade somente pode fazer leis gerais que vinculem os membros, mas não cabe a ele julgar se um indivíduo violou o pacto social ou, por consequência, incorreu em uma pena, pois, neste caso, haverá duas partes: uma representada pelo soberano, que insiste na violação do contrato, e outra, o acusado, que nega essa violação. É necessário então que haja um terceiro que julgue a veracidade dos fatos, um juiz ou magistrado, de quem a decisão seja inapelável, e essa determinação deveria consistir de uma simples afirmação ou negação do fato.

A terceira consequência é que se fosse provado que a severidade das penas, ainda que não imediatamente contrária ao bem público e ao próprio objetivo para o qual ela existe, que é o de impedir os delitos, é inútil, então, essa severidade seria contrária àquelas benéficas virtudes que são consequência da razão iluminada que instrui o soberano a desejar governar homens em estado de liberdade e felicidade em vez de escravidão. Também seria contrária à justiça e ao pacto social.

DA INTERPRETAÇÃO DAS LEIS

Os juízes, em caso de crimes, não têm direito de interpretar as leis penais, pois não são legisladores. Eles não receberam as leis de seus ancestrais como tradição doméstica nem como um testamento, cujos herdeiros e executores devem obedecer, mas recebeu as de uma sociedade viva ou do soberano, seu representante.

Mesmo a autoridade das leis não é fundamentada em qualquer pretensa obrigação ou convenções ancestrais que seriam nulas, pois não podem vincular aqueles que não existiam à época de sua instituição, e injustas, pois poderiam reduzir os homens das gerações vindouras a hordas de brutos, sem qualquer poder de julgar ou agir. As leis recebem sua força e autoridade de um juramento de fidelidade, seja ele tácito ou declarado, feito por súditos vivos, a seu soberano, para conter a ebulição interna dos interesses privados de cada indivíduo. Daí surge sua verdadeira e natural autoridade. Quem é, portanto, seu intérprete legal? O soberano, ou seja, o representante da sociedade, ou o juiz, cujo trabalho é somente o de examinar se o acusado cometeu ou não um ato contrário às leis?

Para cada um dos delitos, o juiz deve fazer um silogismo perfeito: a maior deve ser a lei geral; a menor, a ação em conformidade ou não com a lei; a conclusão, liberdade ou punição. Se o juiz é obrigado, pela imperfeição das leis, ou se deseja fazer mais um silogismo, será introduzida a incerteza.

Nada é mais perigoso do que o popular provérbio de que é necessário consultar o espírito da lei. Adotá-lo é abrir-se a uma torrente de opiniões. Essa verdade pode ser um paradoxo à mente vulgar, que é mais fortemente afetada pelas pequenas desordens ocorridas diante de seus olhos do que pelas mais perniciosas, porém remotas, consequências produzidas por um falso princípio adotado pela nação.

Nosso conhecimento é proporcional às nossas ideias. Quanto mais complexas as ideias, mais numerosas são as formas desse conhecimento. Cada homem tem seu ponto de vista e, em diferentes momentos, vê os mesmos temas sob diferentes perspectivas. O espírito da lei será, portanto, o resultado da boa ou má lógica do juiz, e isso dependerá de sua boa ou má digestão, da violência de seus interesses, da fraqueza de quem a sofre, das relações do juiz com o acusado e de todas aquelas pequenas circunstâncias que alteram a aparência de cada objeto, na flutuante mente humana.

Assim, vemos o destino de um cidadão alterado várias vezes ao passar por diferentes tribunais e sua vida ser vítima de falsas ideias ou do mau humor do juiz, que confunde a legítima interpretação das leis com o vago resultado de toda aquela confusa série de noções que lhe move a mente. Por isso, vemos os mesmos delitos, nos mesmos tribunais, punidos de forma diferente, em momentos diferentes, pela falha em consultar não a constante e invariável voz da lei, mas a errante instabilidade da interpretação.

Uma confusão que nasce da rigorosa observância da letra de uma lei penal não deve ser comparada com as confusões que surgem de suas interpretações. A primeira é uma inconveniência temporária que obrigará aos legisladores corrigir a expressão da lei, a carência de precisão e a incerteza que ocasionou a confusão, mas que impede a fatal licença de analisar de onde nascem as arbitrárias e venais controvérsias. Quando os códigos de lei são fixados, devem ser observados no sentido literal, para que nada mais seja deixado ao juiz que determinar se uma ação está ou não em conformidade com a lei. Quando as normas do que é justo ou injusto, que devem direcionar as ações tanto do ignorante quanto do filósofo, não são uma questão de controvérsia, mas de fato os súditos não estão sujeitos às pequenas tiranias de muitos, tanto mais cruéis quanto menor a distância entre o que sofre e o que faz sofrer, mais fatais do que aquela de um só, pois o despotismo de muitos não pode ser corrigido, senão pela oposição de outro déspota, visto que a crueldade de um déspota é proporcional não à força, mas aos obstáculos aos quais se opõe.

Esta é a forma pela qual os cidadãos obtêm segurança e propriedade, que é justa, pois é o propósito pelo qual estão unidos em sociedade, e é útil, pois cada um pode calcular exatamente as inconveniências de um delito. Da mesma forma, é verdade que os súditos vão adquirir um espírito de independência e liberdade daqueles que ousaram chamar com o sagrado nome de virtude, a fraqueza de ceder às suas interessadas e caprichosas opiniões.

Esses princípios desagradarão àqueles que tomaram para si o direito de transmitir aos inferiores a tirania que sofreram de seus superiores. A tudo eu deveria temer se os tiranos lessem meu livro, mas tiranos nunca leem.

DA OBSCURIDADE DAS LEIS

Se o poder de interpretar as leis for um mal, a obscuridade neles deve ser outra, pois o primeiro é consequência do segundo. O mal será ainda maior se as leis forem escritas em uma linguagem desconhecida pelo povo que, ignorante das consequências de suas ações, torna-se necessariamente dependente de uns poucos, que são intérpretes das leis que, em vez de serem públicas e gerais, tornam-se privadas e particulares. O que devemos pensar da humanidade quando refletimos que tal é o costume estabelecido em grande parte de nossa culta e da iluminada Europa? Os crimes serão menos frequentes conforme os códigos da lei forem mais universalmente lidos e compreendidos, pois não há dúvida que a eloquência dos interesses é, sobretudo, assistida pela ignorância e incerteza das punições.

Consequentemente, segue-se que, sem leis escritas, nenhuma sociedade jamais terá uma forma fixa de governo, no qual o poder é investido como um todo e não parcialmente e onde as leis não sejam alteradas senão pela vontade da maioria nem corrompida pela força de interesses privados. A experiência e a razão nos mostram que a probabilidade e a certeza das tradições humanas diminuem à medida que se distanciam de suas fontes.

Como poderão, então, as leis resistirem à inevitável força do tempo e dos interesses sem um estável monumento do pacto social?

Assim, vemos como é útil o uso da imprensa, que faz com que o público, e não apenas poucos indivíduos, seja o guardião e defensor das leis. É essa arte que, pela difusão da literatura, tem gradualmente dissipado o sombrio espírito de tramas e intrigas e é a ela que devemos o fato de que os crimes atrozes de nossos ancestrais, às vezes tiranos e às vezes escravos, estão se tornando menos frequentes. Quem conhece a história de dois ou três séculos atrás e a nossa poderá ver como, do seio do luxo e do prazer, nasceram as mais doces virtudes: a humanidade, a bondade e a tolerância aos erros humanos. Poderá contemplar quais foram os efeitos do que é tão impropriamente chamado de antiga simplicidade e boa-fé: a humanidade, que sofre sob a implacável superstição, a avareza, a ambição de poucos manchando de sangue humano os baús de ouro e os tronos dos reis, as traições ocultas, os massacres em massa, todos os nobres tiranos da plebe e os ministros da verdade evangélica, encharcam de sangue as mãos em nome do Deus de mansidão, não são obra deste século iluminado, que alguns chamam de corrupto.

DA PROPORÇÃO ENTRE OS CRIMES E AS PENAS

Não apenas é do interesse da humanidade que não se cometam crimes, mas que delitos de todos os tipos sejam menos frequentes, em função do mal que causam à sociedade. Portanto, tanto mais fortes devem ser os meios de prevenção utilizados, quanto maior for o estímulo para que o crime seja cometido, na medida em que ele é contrário ao bem público. Assim, deve existir uma proporção entre crimes e penas.

É impossível prevenir completamente todas as desordens causadas pelas paixões humanas. Essas desordens crescem proporcionalmente ao número de pessoas e aos interesses privados, que não podem ser dirigidos ao bem público. Se consultarmos a história, veremos crescer a desordem na medida em que cresceu o império. Para a exatidão matemática, é preciso substituir, na aritmética política, o cálculo das probabilidades. Essa força que continuamente nos impele a nossos próprios interesses, como a gravidade, atua incessantemente, exceto se encontra um obstáculo para opô-la. O efeito dessa força é a confusa série de ações humanas. Penas, que eu chamaria de obstáculos políticos, evitam o efeito fatal dos interesses privados, sem destruir a causa que os impele, que é aquela sensibilidade que não se separa do homem. O legislador age, neste caso, como um hábil arquiteto, que se empenha em opor a força da gravidade combinando circunstâncias que podem contribuir para a resistência de sua construção.

Dada a necessidade de unir a sociedade, dadas as convenções que se opõem ao interesse privado, encontramos uma escala de desordens, das quais o maior grau consiste naquelas que destroem imediatamente a sociedade e o menor, na mínima injustiça possível feita a um membro dessa sociedade. Entre esses extremos, encontrar-se-ão todas as ações contrárias ao bem público, que são chamadas de crimes, e que descem, em graus infinitamente pequenos, da mais grave à menos grave. Se fosse possível aplicar um cálculo matemático à obscura e infinita combinação de ações humanas, haveria uma escala correspondente de penas, da maior para a menor; mas, não sendo possível, basta ao legislador sábio indicar os pontos principais, sem perturbar a ordem, não decretando a delitos de primeiro grau penas de último. Se houvesse uma escala universal de crimes e penas, teríamos uma medida provável e comum do grau de liberdade e escravidão, humanidade e crueldade das diferentes nações.

Quaisquer ações que não estejam compreendidas entre os limites mencionados acima não podem ser chamadas de crime, ou punidas como tal, a não ser por aqueles que têm interesse em assim chamá-las. A incerteza desses limites produziu nas nações um moral que contradiz a legislação, uma variedade de leis que se contradizem e muitas que expõem os mais sábios a penas mais rigorosas, fazendo as ideias de vício e virtude vagas e flutuantes e mesmo duvidosa a sua existência, que produz letargia e o sono fatal no corpo político.

Aqueles que leem, com olhar filosófico, a história das nações e suas leis irá, geralmente, descobrir que os conceitos de vício e virtude, de bom e mau cidadão, mudam com o avanço dos séculos, não proporcionalmente à alteração das circunstâncias mas, consequentemente em conformidade com o bem comum, em proporção aos interesses e erros pelos quais os legisladores são sucessivamente influenciados. Poderão frequentemente observar que as paixões e vícios de um século são os fundamentos de moralidade do seguinte, que paixões violentas, filhas do fanatismo e do entusiasmo, sendo enfraquecidas com o tempo, que reduz todos os fenômenos físicos e morais ao equilíbrio, torna-se, gradualmente, a prudência do século e um instrumento útil nas mãos dos políticos poderosos e habilidosos. Por isso, a incerteza de nossa noção de honra e virtude; uma incerteza que permanece para sempre, pois elas mudam com o avanço dos tempos e nomes sobrevivem às coisas que eles realmente significam; elas mudam nas fronteiras dos Estados, que são sempre os mesmos em geografia física e moral.

Prazer e a dor são a mola propulsora dos seres sensíveis. Mesmo entre os motivos que incitam o homem aos atos de religião, o legislador invisível ordenou recompensas e punições, mas, a partir da aplicação parcial destas, surgirá a contradição, tão pouco observada, por ser tão comum, de punir com as leis, os crimes que as leis ocasionaram. Se uma pena igual for aplicada a dois crimes que prejudicam a sociedade em graus diferentes, nada impedirá o homem de cometer o crime pior se com ele obtiver maior vantagem.

DO GRAU DA PENA

As reflexões anteriores me dão o direito de afirmar que os crimes só podem ser medidos pelo prejuízo que causam à sociedade e que erram aqueles que creem que a verdadeira medida do delito é a intenção de quem o comete, pois isso dependerá da impressão atual dos objetos nos sentidos e a disposição prévia da mente, e ambos podem variar entre os homens e mesmo no mesmo homem em momentos diferentes, segundo suas ideias, paixões e circunstâncias. Seria, portanto, necessário formar não somente um código específico para cada cidadão, mas também uma nova lei para cada crime. Alguns homens, frequentemente com a melhor intenção, causam os maiores prejuízos à sociedade e, com a pior delas, faz o mais essencial dos bens.

Outros estimam os crimes mais pela dignidade da pessoa ofendida, do que pelas consequências à sociedade. Se esse fosse o verdadeiro padrão, a menor irreverência ao Divino deveria ser punida com uma severidade infinitamente superior àquela do assassinato de um monarca.

Finalmente, outros ainda imaginaram que a gravidade do pecado deveria agravar o crime, mas a falácia dessa opinião saltará aos olhos de quem considerar as verdadeiras relações entre homem e homem e homem e

Deus. A relação entre os primeiros é de igualdade. Apenas a necessidade, em si, fez nascer, da dor das paixões e da oposição de interesses privados, a ideia de utilidade pública, que é o fundamento da justiça humana. A outra é uma relação de dependência com um Ser perfeito e Criador, que reservou exclusivamente a Si o direito de ser, ao mesmo tempo, legislador e juiz, pois somente Ele pode sê-lo sem inconvenientes.

Se Ele, que decretou punição eterna àqueles que desobedecem Sua vontade, qual seria o inseto que ousaria substituir a justiça divina, que desejaria vingar o Ser que basta a Si mesmo, que não sofre de nenhum objeto qualquer sensação de prazer ou dor e que somente Ele, entre todos os seres, age sem sofrer reação? O grau de pecado depende da maldade no coração, que é impenetrável aos seres finitos. Como pode, então, o grau de pecado servir de referência para determinar o grau de um crime? Se isso fosse admitido, o homem poderia punir quando Deus perdoa e perdoar quando Deus condena, agindo, assim, em contradição ao Onipotente.

DA DIVISÃO DOS CRIMES

Nós vimos então que crimes devem ser estimados pelos danos causados à sociedade. Essa é uma das verdades palpáveis que, embora evidentes mesmo aos mais medíocres intelectos, ainda que por uma combinação de circunstâncias são conhecidos por apenas poucos pensadores em todas as nações e em todos os séculos. Mas as opiniões despóticas da Ásia, os interesses dos poderes e das autoridades, têm, na maioria das vezes por insensibilidade e algumas vezes por impressões violentas da tímida incredulidade do homem, obliterado essa ideia simples que, possivelmente, constituiu a primeira filosofia das sociedades nascentes. Felizmente, a filosofia deste século iluminado parece, novamente, conduzir-nos aos mesmos princípios e com um grau de certeza que só é conseguido por um exame racional e repetidas experiências.

Uma meticulosa fidelidade à ordem iria requerer que examinássemos e distinguíssemos os diferentes tipos de crime e formas de punição, mas eles são de natureza tão variável, por diferentes circunstâncias dos séculos e nações, que o detalhamento seria exaustivo e interminável. Será suficiente para meu propósito apontar os princípios mais gerais e os erros mais comuns e perigosos para desenganar aqueles que, por um errôneo zelo à liberdade, introduziriam a anarquia e a confusão e aqueles que adorariam reduzir a sociedade em geral a uma regularidade monástica.

Alguns crimes prejudicam imediatamente a sociedade ou quem as representa; outros atacam a segurança da vida privada, a propriedade ou a honra do indivíduo; alguns outros são ações contrárias àquilo que cada um é obrigado, por lei, a fazer ou não fazer, em função do bem público.

Os primeiros, que são de grau maior, pois são mais destrutivos à sociedade, são chamados de crimes de lesa-majestade (ou lesa-pátria). Somente a tirania e a ignorância, que confundem as mais claras palavras e ideias, podem dar esse nome e, por consequência, a pena máxima a crimes de diferentes naturezas e assim tornar o homem, como em milhares de outras ocasiões, vítima de uma palavra. Todo crime, mesmo que privado, prejudica toda a sociedade, mas não a ameaça de destruição imediata. Ações, tanto morais quanto físicas, têm suas esferas de atividade limitadas e são diferentemente circunscritas, como todos os movimentos da natureza, pelo tempo e pelo espaço e somente uma interpretação capciosa, como a filosofia da escravidão, poderia confundir os limites das coisas estabelecidas pela verdade eterna.

Aos primeiros, sucedem os crimes que destroem a segurança do indivíduo. Sendo essa segurança o principal fim de toda a sociedade, na qual todo cidadão tem indubitável direito, torna-se indispensavelmente necessário que esses crimes sejam punidos com a maior severidade.

A opinião que todos os membros da sociedade devem ter sobre o direito de fazer tudo aquilo que não é contrário à lei, sem temer outros inconvenientes que não sejam as consequências naturais do ato em si, é um dogma político que deve ser defendido pelas leis, apregoado pelos magistrados e acreditado pelo povo; um dogma sagrado, sem o qual não pode existir uma sociedade legalista, uma justa recompensa pelo sacrifício de nossa liberdade universal de ações, comum a todos os seres sensíveis e limitada apenas por nossa força natural. Por esse princípio, nossas mentes se tornam livres, ativas e vigorosas; somente por ele, somos inspirados por aquela virtude que não conhece o temor, tão diferente daquela mansa prudência, digna apenas daqueles que suportam uma existência precária e incerta.

Portanto, atentados contra a vida e a liberdade do cidadão são crimes do mais alto grau. Sob esse título, estão compreendidos não apenas assassinatos e roubos cometidos contra plebeus, mas também contra nobre e magistrados, cuja influência abrange maior distância e maior força, destruindo nos súditos as ideias de justiça e dever e substituindo-a pela do direito do mais forte, igualmente perigosa tanto para quem exerce quanto para quem sofre.

DA HONRA

Existe uma significativa diferença entre as leis civis, essas ciumentas guardiãs, mais do que qualquer outra coisa, da vida e da propriedade dos cidadãos e as leis daquilo que se chama honra, que dá preferência à opinião. Honra é uma palavra que tem sido o fundamento de várias longas e brilhantes discussões, mas sem que se consiga anexar a ela qualquer conotação fixa ou precisa. Como é miserável a condição da mente humana, onde temas mais distantes e menos importantes, como o movimento dos corpos celestes, são mais claramente conhecidos do que as mais interessantes verdades da moralidade, que são sempre confusas e flutuantes, levadas pelos ventos das paixões que as empurra e pela ignorância que as recebe e transmite! Mas esse aparente paradoxo desaparece se considerarmos que, a exemplo dos objetos próximos demais dos olhos, que nos confundem, a exagerada proximidade dos conceitos morais é a razão pela qual as ideias simples das quais eles são compostos sejam facilmente confundidas, mas que devem ser separadas antes que investiguemos os fenômenos da sensibilidade humana. O observador inteligente da natureza do homem não se surpreenderá que tantos laços e tal aparato moral sejam necessários para a segurança e felicidade da humanidade.

A honra, portanto, é uma daquelas complexas ideias que são agregada, não apenas de outras ideias simples, mas também de outras tão complexas que, em seus vários modos de afetar a mente humana, às vezes admitem e às vezes excluem parte dos elementos dos quais é composta, preservando apenas alguns poucos dos mais comuns, da mesma forma que muitos valores algébricos complexos admitem um divisor comum. Para encontrar o divisor comum das diferentes ideias vinculadas à palavra honra, será necessário voltar à formação original da sociedade.

As primeiras leis e os primeiros magistrados devem sua existência à necessidade de prevenir a desordem que o despotismo natural dos indivíduos inevitavelmente produziria.

Foi esse o objetivo de se instituir a sociedade e foi, na verdade na aparência, o principal fim de todos os códigos legais, mesmo os mais perniciosos. Mas os vínculos cada vez mais íntimos entre os homens e o progresso de seu conhecimento fizeram nascer um número infinito de necessidades e pactos mútuos de amizade entre os membros da sociedade. Essas necessidades não foram previstas pela lei e não podiam ser satisfeitas pelo poder de cada indivíduo. Nessa época, começou a ser estabelecido o despotismo de opiniões, como única forma de obter os bens e afastar os males que a lei não podia oferecer. É a opinião que atormenta o sábio e o ignorante, que exaltou a aparência da virtude, acima dela mesma. Assim, a opinião dos homens tornou-se não apenas útil, mas necessária a todos, para se evitar cair abaixo do nível comum. Assim, se o homem ambicioso a conquista como um benefício e o homem fútil suplica por ela, como testemunha de seus méritos, o homem honrado a exige como necessária e a maioria a toma como parte da própria existência.

A honra, tendo nascido após a formação da sociedade, não poderia ser parte do depósito comum. Portanto, quando agimos sob sua influência, naquele instante retornamos ao estado natural e nos excluímos momentaneamente das leis, que neste caso, não nos protegem suficientemente.

Desse modo, em extrema liberdade política e em absoluto despotismo, todas as ideias de honra desaparecem ou são confundidas com outras. No primeiro caso, a reputação torna-se inútil devido ao despotismo das leis e, no segundo, o despotismo de um homem, anulando toda a existência civil, reduz os demais a uma personalidade precária e temporária. A honra é, assim, um dos princípios fundamentais daquelas monarquias que são um despotismo limitado e, nessas monarquias, são aqueles princípios que revolucionam os Estados déspotas, promovendo um retorno momentâneo ao estado natural e uma lembrança dos padrões da antiga igualdade.

DOS DUELOS

Pela necessidade do reconhecimento de outros, nasceu o combate individual, e eles foram estabelecidos pela anarquia das leis. Diz-se dos duelos, que não são desconhecidos dos antigos, talvez porque não se reuniam, armados com espadas em seus templos, teatros e com os amigos de forma suspeita e, talvez, porque combates individuais eram um espetáculo comum, apresentado ao povo por gladiadores, que eram escravos e de quem os homens livres desdenhavam em imitar.

Em vão, as leis tentaram abolir esse costume, punindo os autores com a morte. Um homem honrado, sem o reconhecimento de outros, assume que será reduzido a uma existência solitária, insuportável às criaturas sociais, ou se tornará objeto de permanentes ofensas e da infâmia; considerações estas suficientes para sobrepujar o medo da morte.

Por qual razão os duelos não são tão frequentes entre os homens comuns do povo quanto o são entre os nobres? Não apenas porque não portam espadas, mas porque para homens dessa classe a reputação tem menor importância do que para aqueles de mais alta classe, que comumente se olham com desconfiança e inveja.

Não é inútil repetir o que outros já escreveram, a saber, que o melhor método de evitar esse crime é punir o agressor, ou seja, a pessoa que incitou o duelo, e isentar aquele que por sua parte não cometeu qualquer erro, mas é obrigado a defender aquilo que não lhe é suficientemente assegurado pelas leis.

DOS CRIMES QUE PERTURBAM A TRANQUILIDADE PÚBLICA

Outra classe de delitos é a daqueles que perturbam a tranquilidade pública e a paz dos cidadãos, tais como tumultos e greves em vias públicas, cujo fim é o comércio e a circulação dos habitantes, também como os discursos de fanáticos que exacerbam as paixões da multidão curiosa e ganham força com o aumento do número de ouvintes que, embora surdos à calma e à razão, é sempre afetada por obscuro e misterioso entusiasmo.

A noite iluminada por fundos públicos, guardas posicionados em diferentes áreas da cidade, o discurso claro e moral da religião, reservado para o silêncio e a tranquilidade das igrejas e protegidos pelas autoridades, discursos públicos em apoio ao interesse popular, feitos somente em reuniões gerais da nação, em parlamentos ou onde reside o soberano, são todos meios de evitar os danosos efeitos das distorcidas paixões do povo.

Estes devem ser os principais objetos da vigilância de um magistrado, ação que os franceses chamam de "*police*", mas se esse magistrado agir de maneira arbitrária e não em conformidade com o código das leis, que devem estar nas mãos de todos os membros da comunidade, ele abre uma porta para a tirania, que sempre cerca os limites da liberdade política.

Eu não conheço qualquer exceção à doutrina geral que reza que todos os membros da sociedade deveriam saber quando é um criminoso e quando é inocente. Se os censores e, em geral, os magistrados arbitrários são necessários em qualquer governo, essa necessidade procede de alguma falha na constituição. A incerteza dos crimes sacrificou mais vítimas para a tirania secreta do que elas jamais sofreram pela crueldade pública e solene.

Quais são, em geral, as penas adequadas para crimes?

É a pena de morte realmente útil ou necessária para a segurança ou boa ordem da sociedade? São as torturas e tormentos consistentes com a justiça ou elas respondem ao fim proposto pelas leis? Qual a melhor maneira de prevenir os crimes? São as mesmas penas igualmente úteis em todos os casos? Qual influência elas exercem sobre os costumes? Essas questões devem ser respondidas com aquela precisão geométrica que a névoa do sofisma, a sedução da eloquência e a timidez da dúvida são incapazes de resistir. Se eu não possuir outros méritos que não o de ter sido o primeiro a apresentar ao meu país, com maior grau de evidência, aquilo que outras nações escreveram e começaram a praticar, devo me considerar afortunado; mas, se sustentando os direitos humanos e a invencível verdade, eu tiver contribuído para salvar da agonia da morte uma vítima desafortunada da tirania ou da ignorância, igualmente fatal, suas bênçãos e lágrimas que levam alegria serão meu consolo do desprezo dos homens.

OBJETIVO DAS PENAS

Pelas considerações anteriores, é evidente que o objetivo das penas não é tormentar um ser sensível nem desfazer um crime já cometido. É possível que os tormentos e as crueldades inúteis, o instrumento do fanatismo furioso ou dos tiranos impotentes, possam ser autorizados por um corpo político que, em vez de ser influenciado pela paixão, deveria ser o frio moderador das paixões individuais? Podem os gemidos de um infeliz torturado relembrar o passado ou reverter os crimes já cometidos?

O objetivo da pena, portanto, não é outro que evitar que o criminoso cause mais danos à sociedade e impedir a outros de cometer o mesmo delito. Assim, as penas e o modo de infligi-las devem ser escolhidas de maneira a causar a mais forte e duradoura impressão na mente de outros, com o mínimo tormento ao corpo do criminoso.

DA CREDIBILIDADE DAS TESTEMUNHAS

Determinar com precisão a credibilidade da testemunha e a qualidade da prova é um ponto importante em qualquer boa legislação. Todo homem de bom senso, ou seja, todo aquele cujas ideias têm alguma conexão com as ideias dos demais e cujas sensações estão em acordo com aquelas de outros homens, pode ser uma testemunha; mas, a verdadeira medida de sua credibilidade será em proporção ao seu interesse em declarar ou ocultar a verdade. Desse modo, parece frívola a fraqueza das mulheres e pueril não admitir o fato que aqueles que são condenados à morte já estão mortos socialmente; e quanto é irracional excluir o testemunho das pessoas marcadas pela infâmia quando elas não têm interesse em mentir.

Portanto, a credibilidade da testemunha somente deve diminuir em proporção ao ódio, amizade ou conexões existentes entre ela e o criminoso. Uma testemunha não é suficiente, pois, enquanto um afirma o que outro nega, a verdade permanece suspensa e prevalece o direito que todos têm de que suas palavras sejam tomadas como verdadeiras, inclinando a balança a seu favor.

A credibilidade da testemunha diminui na proporção da atrocidade do crime e na improbabilidade de ter sido cometido, como nos casos de bruxaria e crimes de crueldade gratuita. Os autores das leis penais adotaram um princípio contrário, a saber: que a credibilidade da testemunha é tanto maior quanto maior for a atrocidade do crime, sustentando uma desumana máxima ditada pela mais cruel das imbecilidades: "*In atrocissimis, leviores conjecturae sufficiunt, & licit judici jura transgredi*", que traduzo, para que a humanidade possa ver um dos muitos princípios ilegítimos a que estão, ignorantemente, sujeitos: "quanto mais atroz o crime, a menor das conjecturas já será suficiente e ao juiz é permitido exceder os limites da lei". As absurdas práticas dos legisladores são sempre efeito da timidez, que é a principal fonte das contradições da humanidade. Os legisladores (ou melhor, os juízes cujas opiniões enquanto vivos foram interesseiras e venais, mas que após sua morte tornam-se autoridade decisiva e são as soberanas árbitras das vidas e da sorte dos homens), algumas vezes, aterrorizados pela condenação de um inocente, carregaram as leis com formalidades pomposas e inúteis, cuja escrupulosa observância imporá uma impunidade anárquica ao trono da justiça; e que, em outras vezes, perplexos por crimes atrozes de difícil comprovação, tomam para si a necessidade de anular essas mesmas formalidades por eles criadas e, por vezes com despótica impaciência e, por outras, com feminina timidez, transformam seus solenes julgamentos em um jogo de acaso.

Porém, tornando ao tema da feitiçaria, é muito mais provável que a maioria dos homens seja, por ignorância, iludida por alguém, do que uma pessoa exercite um poder que Deus negou a todos os seres por Ele criados. Da maneira semelhante, no caso de crueldade gratuita, a presunção é sempre contra o acusado, pois nenhum homem é cruel sem que um interesse esteja envolvido, seja ele de medo, seja ódio. Não há sentimentos espontâneos ou supérfluos no coração do homem; eles são, todos, o resultado de impressões em seus sentidos.

A credibilidade de uma testemunha também pode diminuir se ela for membro de uma sociedade privada, cujos costumes e princípios de conduta forem desconhecidos ou diferentes daqueles públicos, pois esse homem carrega não somente suas próprias paixões, com também aquelas da sociedade da qual é membro.

Finalmente, é quase nula a credibilidade de um testemunho quando se faz da palavra um crime, pois o tom de voz e os gestos, além de tudo aquilo que precede, acompanha e segue as diferentes ideias que o homem vincula a essas mesmas palavras, podem alterar o discurso de modo que seja quase impossível reproduzi-lo exatamente da mesma maneira em que foram falados. Além disso, ações violentas e incomuns, tais como crimes reais, deixam um rastro na enormidade de circunstâncias e nos efeitos que os acompanham, mas as palavras permanecem apenas na memória daqueles que as ouviram, que podem ser negligentes ou corruptos. É infinitamente mais fácil, portanto, fundamentar acusações em palavras do que em atos, pois nelas o número de circunstâncias instadas contra o acusado proporciona uma variedade de justificativas.

DAS EVIDÊNCIAS E PROVAS DO CRIME E DAS FORMAS DE JULGAMENTO

O seguinte teorema geral é de grande utilidade para determinar a certeza de um fato. Quando as provas de um crime são dependentes umas das outras, ou seja, quando as evidências de cada testemunha, ouvidas separadamente, não comprovam, ou quando todas as provas são dependentes de uma única, sua quantidade não aumenta nem diminui a probabilidade do fato, pois todo o valor das provas se resume no valor daquela única da qual dependem. Quando as provas são independentes umas das outras, a probabilidade do fato aumenta em proporção ao número de provas, pois a falsidade de uma não diminui a veracidade da outra.

Pode parecer extraordinário que eu fale de probabilidade em matéria de crimes, que para merecer uma pena devem ser claros. Mas esse paradoxo desaparece quando se considera que, estritamente falando, a clareza moral é apenas probabilidade, mas uma probabilidade reconhecida como certeza, pois todos os homens de bom senso a consentem, a partir de um hábito nascido da necessidade de agir e que é anterior à especulação. A certeza que é necessária a decidir se o acusado é culpado é exatamente a mesma que estimula todos os homens nas ações mais importantes da vida.

As porvas de um crime podem ser divididas em duas categorias: perfeitas e imperfeitas. Chamo de perfeitas aquelas que excluem a possibilidade de inocência e de imperfeitas aquelas que não excluem essa possibilidade. Da primeira, apenas uma é suficiente para a condenação. Já da segunda, são necessárias tantas quantas formarem uma prova perfeita, o que significa dizer que, embora cada uma delas, tomadas separadamente, não exclua a possibilidade da inocência, essa é, contudo, excluída pelo conjunto delas. Também deve ser observado que as provas imperfeitas, das quais o acusado, se inocente, pode utilizar-se para se justificar, se não o fizer, as tornam perfeitas.

Porém, é muito mais fácil sentir a certeza moral das provas do que defini-las exatamente. Por essa razão, eu creio que seja ótima a lei que estabelece assistentes para o juiz principal, definidos pela sorte e não pela escolha, pois, nesse caso, é mais segura a opinião ignorante que julga pelo sentimento do que aquela que julga pelo conhecimento das leis. Onde as leis são claras e precisas, o ofício de um juiz é o de, meramente, apurar o fato. Se para buscar as provas de um crime são necessárias habilidade e destreza, se para apresentar os resultados são necessárias clareza e precisão, para julgar o mesmo resultado não é necessário mais do que o simples e ordinário bom senso, um guia menos enganoso do que o conhecimento de um juiz, acostumado a encontrar culpados e a reduzir todas as coisas a um sistema artificial, emprestado de seus estudos. Feliz a nação onde o conhecimento das leis não é uma ciência!

É admirável a lei que decreta que todo homem deve ser julgado por seus pares, pois, quando vida, liberdade e sorte de um cidadão estão em questão, os sentimentos que uma diferença de classe e de poder inspiram, devem ser silenciados; aquela superioridade com a qual os afortunados olham para os infelizes e o despeito pelo qual o inferior olha seu superior não deveriam ter influência.

Porém, quando o crime é uma ofensa de um terceiro, então, metade do juiz deveria unir-se ao acusado e a outra metade ao acusador, de forma que todos os interesses privados, que alteram a aparência dos objetos, mesmo na visão dos mais equilibrados, sejam compensados e nada permaneça fora da direção da verdade e das leis. Também é justo que um acusado tenha a liberdade de excluir alguns de seus julgadores e, sendo concedido esse direito por algum tempo sem contestação, fará quase com que o réu condene a si mesmo.

Todos os julgamentos deveriam ser públicos para que a opinião, que talvez seja a única aglutinadora da sociedade, imponha um freio aos poderosos e às paixões dos juízes e que o povo possa dizer: "Somos protegidos pela lei, não somos escravos"; um sentimento que inspira coragem e que é o melhor tributo a um soberano que conhece seus reais interesses. Eu não entrarei em mais detalhes, pois, para aqueles que esperam que eu diga tudo aquilo que pode ser dito sobre esse tema, tudo aquilo que já escrevi ainda lhes deve ser ininteligível.

DAS ACUSAÇÕES SECRETAS

Acusações secretas são um manifesto abuso, mas consagrado por costume, em várias nações em que a causa da fraqueza do governo é necessária. Esse costume torna os homens falsos e traiçoeiros. Qualquer um que suspeite que outro seja um informante o vê como um inimigo. Os homens, então, se acostumaram a esconder seus sentimentos dos outros e, assim fazendo, acabam também por escondê-los de si mesmos. Infelizes são aqueles que chegaram a esse ponto! Sem quaisquer princípios certos e definitivos a guiá-los, eles flutuam no vasto oceano das opiniões e estão ocupados apenas em escapar dos monstros que os rodeiam. Para estes, o presente sempre tem o gosto amargo das incertezas do futuro; privados dos prazeres da tranquilidade e da segurança gozam de alguns fugazes momentos de felicidade, difusamente dispersos por suas vidas miseráveis, que os consolam da angústia de suas existências.

Seremos nós, entre esses homens, os intrépidos soldados, defensores da pátria e do trono? Encontraremos entre esses homens magistrados incorruptíveis que, com espírito de liberdade e eloquência patriótica, manterão e explicarão o verdadeiro interesse de seus soberanos? Soberanos esses que levem ao trono com os tributos, o amor e as bênçãos de homens de todas as classes e a todos os ricos e pobres traga a paz, a segurança e a esperança de melhor sorte, útil fermento e vida dos Estados?

Quem pode defender-se das calúnias, armadas com esse impenetrável escudo da tirania, o segredo? Que miserável governo deve ser esse onde o soberano suspeita de um inimigo em cada súdito e, para assegurar a tranquilidade pública, é obrigado a sacrificar a tranquilidade do indivíduo?

Sob qual argumento se pretende que as acusações secretas sejam justificadas? A segurança pública, dizem eles, e a segurança e a manutenção da forma de governo estabelecida. Mas que estranha constituição é essa na qual o governo, que tem a seu favor não apenas o poder mas a opinião, que é ainda mais eficaz, teme seus próprios súditos? A indenização do acusador? Então as leis não o defendem suficientemente? E existirão súditos mais poderosos do que o soberano! A infâmia do delator? Então se autoriza a calúnia secreta e se pune a pública! A natureza do crime? Se ações, tanto as indiferentes quanto aquelas úteis ao público, são chamadas de crimes, as acusações e os julgamentos jamais serão tão secretos. Mas poderia haver um crime, cometido contra o público, que não fosse publicamente punido? Eu respeito todos os governos e não me refiro a nenhum deles em particular. Tal é, às vezes, a natureza das circunstâncias que, quando os abusos são inerentes à constituição, pode-se imaginar que corrigi-lo seria destruir a própria constituição. Se eu tivesse de redigir novas leis em um remoto canto do universo, o bem da humanidade, sempre presente em minha mente, tomaria minha trêmula mão e me impediria de autorizar acusações secretas.

Acusações públicas, diz Montesquieu, estão em maior conformidade com a república, onde o zelo pelo bem público é a paixão principal do cidadão e não da monarquia, na qual, como esse sentimento é muito frágil, pela própria natureza do governo, a melhor solução é aquela de estabelecer delegados que, em nome do público, acusa os infratores das leis. Mas, em todos os governos, sejam repúblicas ou monarquias, a pena do acusado deveria também ser dada aos caluniadores.

DA TORTURA

A tortura de um criminoso durante seu julgamento é uma crueldade consagrada pelo uso, na maior parte das nações. É usada com a intenção de fazê-lo confessar o crime, ou para explicar alguma contradição na qual ele caiu enquanto depunha, ou ainda para descobrir seus cúmplices, ou por algum tipo de purgação metafísica e incompreensível da infâmia, ou, finalmente, para descobrir outros crimes dos quais ele não é acusado, mas dos quais ele pode ser culpado.

Ninguém pode ser condenado como criminoso até que seja provada sua culpa, nem a sociedade pode retirar-lhe a proteção pública até que tenha sido provado que ele violou as regras pactuadas. Qual é, portanto, o direito, senão o da força, que autoriza um juiz a punir um cidadão, enquanto ainda há dúvidas se ele é culpado ou inocente? Não é novo este dilema: ele é culpado ou inocente? Se culpado, ele deveria sofrer a pena imposta pela lei e, assim, a tortura se torna inútil, pois sua confissão é desnecessária; se ele não é culpado, um inocente foi torturado, pois aos olhos da lei todo homem é inocente se o crime não for provado. Ademais, confundem-se todas as relações ao exigir-se que um homem seja ao mesmo tempo acusado e acusador e que a dor seja o teste da verdade, como se a verdade residisse nos músculos e nas fibras de um miserável torturado. Por esse método, o mais resistente escapará e o mais frágil será condenado. São essas as inconveniências desse falso teste da verdade, pertencente somente aos canibais e que os romanos, bárbaros sob muitos aspectos, reservavam apenas aos escravos, vítimas de uma feroz e muito admirada virtude.

Qual é a intenção política das penas? Assustar e ser um exemplo para outros. É, então, essa intenção satisfeita pela tortura privada de culpados e inocentes? É de indubitável importância que nenhum crime deixe de ser punido, mas é inútil fazer de exemplo público o autor de um crime oculto na escuridão. Um crime que já foi cometido e para o qual não há mais solução só pode ser punido por uma sociedade política com o objetivo de deixar claro que não haverá esperança de impunidade para outros que queiram cometer o mesmo delito. Se for verdade que o número dos que respeitam a lei, seja por medo ou por virtude, é maior do que daqueles que a infringem, o risco de torturar um inocente é maior, como é maior a probabilidade que, *cæteris paribus*, um indivíduo tenha mais respeitado do que infringido a lei.

Há, ainda, outro ridículo motivo para a tortura, que é o da purgação da infâmia, ou seja, um homem julgado infame pela lei deve ter confirmada sua deposição pelo deslocamento de seus ossos em uma cremalheira. Tal abuso não deveria ser tolerado no século dezoito. Acredita-se que a dor, que é uma sensação, purgue a infâmia, que é uma mera relação moral. É a dor, por acaso, um crisol onde se separa, de um corpo impuro, o elemento chamado infâmia?

Não é difícil traçar a origem dessa lei insensata, pois um absurdo, adotado por toda a nação, deve ter alguma afinidade com outras ideias estabelecidas e respeitadas por essa mesma nação. Esse costume parece ter origem nas ideias religiosas e espirituais, pelas quais a humanidade, em todas as nações e em todas as épocas, é tão influenciada. Fomos ensinados por nossa infalível igreja que as manchas do pecado contraídas pela fragilidade humana, e que não merecem a ira eterna do Todo-Poderoso, devem ser purgadas em outra vida por um fogo incompreensível. Ora, a infâmia é uma mancha civil e, se as punições e o fogo do purgatório retiram as manchas espirituais, por que a dor da tortura não tiraria aquelas de natureza civil? Eu imagino que a confissão do réu, que em alguns tribunais é tida como essencial para a condenação, tenha uma origem semelhante e tenha sido retirada do misterioso tribunal de penitência, onde a confissão dos pecados é uma parte necessária do sacramento. É dessa forma que os homens abusam da infalível luz da revelação e, em tempos de intratável ignorância, não tendo outra guia, naturalmente recorrem a ela em todas as ocasiões e fazem as mais absurdas e díspares aplicações. Além de tudo, a infâmia é um sentimento controlado pelas leis ou pela razão, mas inteiramente pela opinião; mas a tortura torna a vítima infame e, portanto, não pode extraí-la.

Outra intenção da tortura é a de obrigar o suposto criminoso a esclarecer as contradições em que ele caiu quando depôs, como se o medo da punição, a incerteza sobre seu destino, a solenidade da corte, a majestade do juiz e a ignorância do acusado não fossem abundantemente suficientes para fazer cair em contradição tanto o inocente quanto o culpado, que tenta proteger-se. A contradição, tão comum aos homens, mesmo em estado de tranquilidade deve ser multiplicada pela perturbação mental de um homem completamente envolvido na ideia de salvar-se do iminente perigo.

Esse infame teste da verdade é um monumento remanescente daquela antiga legislação selvagem, na qual julgamentos pelo fogo, pela água fervente ou pela incerteza das armas eram chamados de julgamentos de Deus, como se os elos dessa corrente eterna, cujo início está no seio da primeira razão de todas as coisas, pudessem algum dia ser desunidos pela instituição dos homens. A única diferença entre tortura e julgamentos pelo fogo e água fervente é que os eventos da primeira dependem da vontade do acusado e da segunda, de um fato inteiramente físico e externo. Mas a diferença é apenas aparente, não real. Um homem na cremalheira, nas convulsões da tortura, tem poucas condições para declarar a verdade, do mesmo modo que na antiguidade, sem um estratagema, são poucas as condições de impedir os efeitos do fogo e da água fervente.

Cada ato de nossa vontade é invariavelmente proporcional à força da impressão em nossos sentidos. A impressão de dor, então, pode crescer até o grau que, ocupando por inteiro a mente, compelirá o sofredor a utilizar o método mais rápido para livrar-se do tormento. Sua resposta, portanto, terá o mesmo efeito do fogo ou da água fervente, e ele acusará a si mesmo de crimes dos quais é inocente. Assim, os próprios meios empregados para distinguir o inocente do culpado efetivamente destroem a diferença entre eles.

Seria supérfluo confirmar essas reflexões pelo exemplo de inocentes que, da agonia da tortura, confessaram-se culpados: inumeráveis exemplos podem ser encontrados em todas as nações e em todas as épocas.

É impressionante como a humanidade sempre se recusou a chegar a essa natural conclusão!

Não existiria um homem que, por preocupar-se além das necessidades mínimas da vida, ao refletir sobre tal crueldade, não estivesse tentado a fugir da sociedade e retornar a seu estado natural de independência?

Então, o resultado da tortura é uma questão de cálculo e depende da constituição física, que difere em cada indivíduo, e é proporcional à sua força e sensibilidade, de maneira que, para descobrir a verdade por meio desse método, torna-se um problema melhor formulado por matemáticos do que por juízes e deve ser assim formulado: dada a força dos músculos e a sensibilidade dos nervos de um inocente, calcular o grau de dor necessário a fazê-lo confessar-se réu de um dado crime.

O interrogatório de um acusado serve a descobrir a verdade, mas, se essa verdade dificilmente é descoberta no ar, nos gestos e na fisionomia de um homem tranquilo, muito menos ela será descoberta em um homem cujas convulsões causadas pelas dores alteram todos os sinais pelos quais transpira a verdade de seu rosto, às vezes, para seu próprio infortúnio. Toda ação violenta confunde e faz desaparecer as mínimas diferenças entre as atitudes pelas quais, às vezes, se consegue distinguir o verdadeiro do falso.

Essas verdades já eram conhecidas dos legisladores romanos, que não utilizavam a tortura, exceto nos escravos, a quem não era reconhecida a cidadania. São conhecidas também dos ingleses, cujas consequências naturais do progresso do conhecimento, superioridade comercial, riqueza e poder não deixam dúvidas sobre a excelência de suas leis. Também foram reconhecidas na Suécia, onde a prática da tortura foi abolida por um dos mais sábios monarcas da Europa, que, tendo levado essa filosofia ao trono, em benefício de seus súditos, tornou-os iguais e livres, embora dependentes da lei, que é a única liberdade que os homens razoáveis podem desejar no presente estado das coisas. A tortura não foi considerada necessária pelas leis dos exércitos, composta principalmente da escória das nações, onde sua prática parece ser mais necessária. Um estranho fenômeno para quem não considera o quanto é grande a tirania da tortura, que um conjunto de homens endurecidos pela tragédia e tão familiares ao sangue deva ensinar a humanidade um método mais humano de julgamento.

Parece, também, que essas verdades são conhecidas, embora de maneira imperfeita, até mesmo daqueles que mais frequentemente praticam a tortura, pois uma confissão feita sob tortura só é válida se for posteriormente confirmada por um juramento que, caso o acusado recuse em fazer, volta a ser torturado. Alguns doutores e algumas nações não permitem que esse infame princípio seja repetido mais de três vezes e outros o deixam à decisão do juiz. Assim, de dois homens igualmente culpados ou inocentes, o mais resistente e resoluto será absolvido e o mais fraco e covarde será condenado pelo seguinte raciocínio do juiz: eu, o juiz, devo entre vós, encontrar o culpado. Tu, vigoroso, que suportaste mais às dores do tormento imposto, te absolvo. A ti, que foste fraco e cedeste, te condeno. Sou sensível a que a confissão de vós extraída não tem peso; mas, se não admitirdes por juramento aquilo que já tiverdes confessado, vos ordenarei novo tormento.

Uma muito estranha, mas real, consequência da tortura é que o inocente é posto em condições piores que a do culpado, uma vez que o primeiro, se confessa um crime que não cometeu, será condenado; ou, se suportar a tortura, será absolvido e terá sofrido uma punição que não merecia. Por outro lado, aquele que for realmente culpado tem o lado mais favorável da questão, pois se suportar a tortura com persistência e determinação será absolvido e sairá em vantagem, tendo trocado uma pena maior por outra menor.

A lei que autoriza a tortura diz: homens, sejam insensíveis à dor. A natureza vos deu um irresistível amor próprio e um inalienável direito de autopreservação, mas eu crio em vós um sentimento contrário, um heroico ódio de vos mesmos. Eu ordeno que, entre o rompimento de vossos músculos e o deslocamento de vossos ossos, acusem a vós mesmos e declarem a verdade.

A atortura é utilizada para descobrir se o acusado é culpado de outros crimes além daquele pelo qual é acusado, o que é equivalente ao seguinte raciocínio: tu és culpado de um crime, assim sendo, é possível que o sejas de outros mil; como tal dúvida me pesa, assegurar-me-ei com meu critério de verdade. As leis ordenam que sejas tormentado pois és culpado, pois podes ser culpado e pois que escolho que sejas culpado.

A tortura é utilizada para fazer que o criminoso confesse seus cúmplices, mas, se foi demonstrado que a tortura não é um meio próprio de descobrir a verdade, como pode ela servir para que se descubra cúmplices, se esta é uma das verdades a serem descobertas? Não irá o homem que acusa a si mesmo mais prontamente acusar a outros? Ademais, é justo torturar um homem pelo crime de outro?

Não podem os cúmplices serem encontrados pelo interrogatório das testemunhas ou do criminoso? Pelas provas ou pela natureza do crime em si? Em resumo, por todos os meios que tem sido utilizado para provar a culpa de um acusado? Os cúmplices normalmente fogem quando um dos companheiros é capturado. A incerteza de seus destinos os condena ao exílio perpétuo e livra a sociedade dos perigos de novos danos, enquanto a punição do criminoso atinge seu objetivo, dissuadindo pelo medo, a outros de cometer o mesmo delito.

DAS PENAS PECUNIÁRIAS

Houve um tempo no qual todas as penas eram pecuniárias. O crime dos súditos era o patrimônio do príncipe e o os atentados à segurança pública favoreciam à coroa, assim, os soberanos e magistrados, os guardiões da segurança pública, tinham interesse em vê-la infringida. Crimes eram julgados, naquele tempo, em um tribunal do erário público, e a causa tornava-se uma ação civil entre o acusado e a coroa.

O magistrado, então, tinha poderes além dos necessários ao bem público, e o criminoso sofria penas outras que aquelas necessárias ao exemplo requerido. O juiz era, então, um advogado do fisco, mais do que alguém que busca a verdade. Mas, de acordo com o sistema, alguém que se confessasse culpado reconheceria a si mesmo como um devedor da coroa, o que era, então, e continua sendo no presente (os efeitos continuam após terem cessado as causas), o objetivo dos processos criminais. Assim, o criminoso que se recusa a confessar seu crime, mesmo condenado pelas mais indubitáveis provas, sofrerá pena menor do que se tivesse confessado, e não será torturado para confessar outros crimes que possa ter cometido, pois não confessou o crime principal. Mas, tendo obtido a confissão, o juiz torna-se proprietário de seu corpo e o torturará com estudada formalidade para extrair dele todo o lucro possível.

A confissão, então, é uma prova convincente, especialmente se obtida pela força da tortura, enquanto que uma confissão extrajudicial, quando um homem está tranquilo e não apreensivo, não é suficiente para sua condenação.

Todas as razões que podem servir para esclarecer o fato, mas que podem enfraquecer as pretensões da coroa, são excluídas. Não é por compaixão ao criminoso ou por considerações de humanidade que as torturas são, às vezes, poupadas, mas por medo de perder os direitos que, no momento, parecem quiméricos e inconcebíveis. O juiz torna-se um inimigo do acusado, um homem acorrentado, oferecido como presa à miséria, à tortura e ao futuro mais terrível. O juiz interroga não pela busca da verdade dos fatos, mas da natureza do crime; e cria ciladas para que o acusado confesse; e teme não conseguir; e teme que a infalibilidade que todo homem julga ter em si seja posta em dúvida. Está nas mãos do magistrado determinar quais provas são suficientes para enviar um homem à prisão; para que se comprove a inocência de alguém, ele deve primeiro ser culpado. A isso, chama-se processo ofensivo e são esses os procedimentos criminais existentes em quase toda a iluminada Europa do século XVIII. O verdadeiro processo, aquele informativo, que é a busca imparcial dos fatos, aquele que é comandado pela razão, que é adotado pelas leis militares e que o despotismo asiático permite em processos de um súdito contra outro, é pouquíssimo praticado nos tribunais europeus. Que labirinto de absurdos! Absurdos que parecem inacreditáveis para uma posteridade mais feliz. Somente os filósofos do porvir terão a capacidade de entender, pela leitura da natureza do homem, que tal sistema um dia existiu.

DOS JURAMENTOS

Existe uma contradição palpável entre as leis e o sentimento natural da humanidade no caso de juramentos, que são aplicados a um criminoso para fazê-lo dizer a verdade, quando seu interesse é exatamente o contrário, como se um homem pudesse realmente fazer um juramento que causa sua própria destruição e como se, quando o interesse fala mais alto, a religião não fosse geralmente silenciosa; o passar dos séculos nos fez ver que os homens, mais do que qualquer outra coisa, abusaram desse precioso dom dos céus. E por qual motivo ela deveria ser respeitada pelos maus, se aqueles considerados sábios a violam? Os motivos que a religião opõe ao medo do mal e ao amor à vida são tão fracos quanto são distantes para impressionar os sentidos. Os assuntos do outro mundo são regulados por leis completamente diferentes daquelas pelas quais são tratados os assuntos humanos; por que, então, deveria alguém esforçar-se por harmonizar as coisas entre eles? Por que deveria um homem ser reduzido à terrível alternativa de ofender a Deus ou contribuir para sua própria e imediata destruição? As leis que requerem um juramento, em tais casos, deixam apenas a escolha de tornar-se um mau cristão ou um mártir. Por essa razão, um juramento torna-se, pouco a pouco, uma mera formalidade e todos os sentimentos religiosos, e talvez o único motivo da honestidade para a maior parte da humanidade é destruído. A experiência prova sua inutilidade, pois que me sirvam de testemunhas os juízes, se algum criminoso, algum dia, disse a verdade sob juramento. E a razão nos diz que são inúteis e, por consequência, destrutivas, as leis que contradizem o sentimento natural da humanidade. Tais leis são como bancos de terra que tentam deter a correnteza do rio; eles são imediatamente sobrepujados ou, pelo turbilhão que causam na água, gradualmente enfraquecidos e destruídos.

DAS VANTAGENS DA PENALIZAÇÃO IMEDIATA

Quanto mais imediata for a pena para um crime cometido, mais justa ela será. Será mais justa pois poupa o criminoso dos cruéis e supérfluos tormentos da incerteza, que aumentam em proporção à força de sua imaginação e ao seu sentimento de impotência. Será mais justa, pois o sentimento de privação de liberdade, sendo uma punição, deve ser infligido antes da condenação, mas pelo menor tempo possível. Sendo a prisão apenas o meio de deter o acusado até que seja julgado, condenado ou absolvido, deve não apenas ser de curta duração, mas executada com o mínimo de severidade possível. O tempo deve se estabelecido pela necessária execução do processo e pelo direito de sua vez em ser julgado. O confinamento não deve ser maior do que aquele necessário a evitar a fuga ou dissimular as provas do crime e o julgamento deve ser concluído no tempo mais curto possível. Pode haver contraste maior do que a indolência do juiz e a dolorosa ansiedade do acusado? Os confortos e prazeres de um magistrado insensível e a miséria e a desgraça do prisioneiro? Em geral, como já observei anteriormente, o grau de punição e as consequências de um crime devem ser planejados de maneira a causar o máximo efeito nos demais cidadãos, com o mínimo possível de sofrimento ao delinquente. Se houver alguma sociedade em que estes não são princípios fundamentais, esta é uma sociedade ilegítima, pois a humanidade, com sua união pretende, originalmente, sujeitar a si mesma o mínimo possível de sofrimento.

Uma punição imediata é mais útil, pois quanto menor o intervalo de tempo entre a punição e o crime, mais fortes e mais duradouras serão as associações de ideias entre crime e castigo, de modo que sejam considerados um como causa e o outro como uma inevitável e necessária consequência. Foi demonstrado que a associação de ideias é o cimento que une o intelecto humano, sem o qual dor e prazer seriam simples e ineficazes sensações. Quanto mais os homens se afastam das ideias gerais e dos princípios universais, ou seja, quanto mais vulgares se tornam, mais agem pela associação mais próxima e familiar, negligenciando as mais distantes e complicadas, que só servem aos homens especializados no tema que tratam. Servem também aos mais cultos, pois estes habituaram-se a considerar vários temas de uma só vez e têm a capacidade de comparar vários sentimentos, de modo que o resultado seja menos perigoso e incerto.

É da maior importância que a punição se suceda ao crime tão rapidamente quanto possível se a pretensão for aquela que, na rude mente das multidões, a sedutora imagem da vantagem advinda do crime é instantaneamente apagada pela ideia da punição. Retardar a aplicação da pena serve somente para separar essas duas ideias e, assim, afetar as mentes dos espectadores, em vez de ser uma terrível visão das consequências de um crime, cujo horror deve contribuir para elevar a ideia da punição.

Existe ainda outro excelente método de estreitar essa importante conexão entre o crime e a pena, que é torná-la tão análoga quanto possível da natureza do crime. Essa analogia facilita admiravelmente a comparação entre o ímpeto do delito e a repercussão da pena, ou seja, que essa analogia afaste e conduza o ímpeto em direção oposta àquela por onde quer encaminhá-lo, a sedutora ideia de infringir a lei.

Crimes de menor importância são usualmente punidos tanto pelo obscurantismo das prisões quanto pela escravidão do condenado, que será um exemplo para a sociedade que ele nunca ofendeu. Um exemplo absolutamente inútil, pois está distante do local em que foi cometido. De modo geral, os homens não cometem grandes crimes deliberadamente, mas sim em um repentino ato de paixão, e normalmente consideram a pena por um grande crime como remota e improvável.

A punição pública de pequenos delitos, portanto, causará uma impressão mais acentuada e, ao dissuadir os homens dos pequenos crimes, será mais efetiva em impedir os grandes.

DOS ATOS DE VIOLÊNCIA

Alguns crimes referem-se a pessoas, outros, a propriedades. O primeiro tipo deve ser punido fisicamente. Os ricos e poderosos não devem, de modo algum, ter em suas mãos o poder de estabelecer o preço da segurança do fraco ou do indigente, senão os ricos que, sob a proteção das leis, são o prêmio da indústria se tornariam o alimento da tirania. A liberdade está no fim quando as leis permitem que, em certos casos, um homem deixe de ser uma pessoa e se torne uma coisa. Então, a indústria dos poderosos estará toda voltada a selecionar, nas várias combinações da sociedade civil, tudo aquilo que for em seu benefício. Essa é a mágica arte que transforma súditos em bestas de carga e que, nas mãos dos poderosos, é a corrente que liga os fracos e incautos. Assim é que, em alguns governos, onde há toda a aparência de liberdade, a tirania se esconde ou se insinua em algum canto negligenciado da constituição, onde, imperceptivelmente, cresce e aumenta sua força. A humanidade geralmente se opõe, resolutamente, aos ataques escancarados da tirania, mas desconsidera o pequeno inseto que corrói o dique e abre uma passagem segura, mas secreta, à inundação.

DAS PENAS AOS NOBRES

Quais penas deveriam ser impostas aos nobres, cujos privilégios compõem grande parte das leis das nações? Não discutirei aqui se a distinção hereditária entre nobres e plebeus é útil em um governo ou necessária em uma monarquia, ou se é verdade que forma um poder intermediário, usado para moderar os excessos em ambos os extremos, ou forma uma classe que, escrava de si mesma e de outras, limita toda a circulação de crédito e de esperança em um pequeníssimo círculo, similares àqueles oásis salpicados nos arenosos e vastos desertos da Arábia e que, quando for verdade que a subordinação de classes e condições forem inevitáveis ou úteis na sociedade, será também verdade que ela deve constituir-se mais nas classes do que nos indivíduos, fixar-se em um ponto, em vez de percorrer todo o corpo político, perpetuar-se em vez de recriar-se incessantemente. Eu me limitarei somente às penas devidas a esta classe, afirmando que as penas aos nobres não devem ser diferentes daquelas aplicadas aos membros das classes inferiores da sociedade.

Qualquer distinção, seja pela honra, seja pela riqueza, para que seja legítima, pressupõe uma igualdade anterior, fundamentada na lei, que considera todos os súditos igualmente dependentes dela. Devemos supor que o homem, ao renunciar ao seu despotismo natural, disse: "O mais sábio e industrioso entre nós deveria obter as maiores honras e sua dignidade deve refletir pela posteridade, nos herdeiros. Os afortunados e felizes devem esperar por honras a mais, mas não temer menos que os demais , a violação dos pactos, através dos quais é exaltado". É verdade que tais decretos não emanaram de uma dieta da humanidade, mas existem na invariável relação das coisas; tais decretos também não destroem as vantagens que são, supostamente, produzidas pelas classes dos nobres, mas evita inconvenientes e fazem as leis serem respeitadas pela destruição de todas as esperanças de impunidade. Pode-se contestar que a mesma pena infligida em um nobre e em um plebeu é, na verdade, diferente, devido à diferença na educação e da infâmia que irá causar em uma família ilustre. Mas eu respondo que as penas devem ser estimadas não pela sensibilidade do criminoso, mas pelo dano causado à sociedade, que é amplificado pela relevância de sua posição social. A igualdade das penas só pode ser extrínseca, pois é proporcional ao grau de sensibilidade, que é diferente para cada indivíduo. A infâmia pode ser suprimida pelo soberano com demonstrações públicas de benevolência à inocente família do criminoso. E a forma sempre teve mais influência do que a razão na compreensão popular.

DOS ROUBOS

A pena por roubos, não acompanhada de violência, deve ser pecuniária. Aquele que busca enriquecer com a propriedade de outros deve ser privado de parte de seus bens. Porém, esse crime é normalmente causado pela miséria e o desespero; o crime dessa infeliz parte da humanidade, a quem o direito de propriedade, um terrível e talvez desnecessário direito, deixou nada mais do que uma existência desamparada. Além disso, como as penas pecuniárias podem aumentar o número de roubos pelo aumento do número de pobres, e pode privar uma família inocente do mínimo para subsistência, a pena mais adequada seria aquele tipo de escravidão que em si pode ser chamado de justa, ou seja, aquela que faz da sociedade, por um certo tempo, o mestre absoluto do ser e do trabalho do criminoso, para obrigá-lo a reparar, por meio dessa dependência, o injusto despotismo contra a propriedade de outro e a violação do pacto social.

Quando o roubo é acompanhado de violência, uma punição física deve ser acrescida à escravidão. Muitos escritores têm mostrado a evidente desordem causada pela não distinção da pena devido ao roubo com violência, daquela devida ao roubo ou furto cometido com destreza, absurdamente fazendo uma soma em dinheiro equivaler à vida de um homem. Mas, nunca é demais repetir e repetir novamente, aquelas verdades das quais a humanidade não tirou proveito a máquina política conserva mais do que as outras, o movimento aplicado e são as mais lentas em reagir a um novo impulso. Esses crimes são, em sua natureza, absolutamente diferentes, e é corretíssimo também na política o axioma da matemática que diz que *não há comparação onde não há semelhanças*.

DA INFÂMIA COMO PUNIÇÃO

As injúrias que afetam a honra, ou seja, aquela justa porção de respeito que todo cidadão tem direito de exigir dos outros, deve ser punida com a infâmia. A infâmia é um sinal de desaprovação pública que priva o criminoso de todas as considerações aos olhos dos concidadãos, da confiança de sua pátria e da fraternidade que existe entre os membros da mesma sociedade. Ela não é um arbítrio da lei. É necessário que a infâmia infligida pela lei seja a mesma que nasce da relação das coisas, a mesma da moralidade universal ou daquele sistema em particular, adotado pela nação e pelas leis, que governam a opinião dos vulgares. Se, ao contrário, uma for diferente da outra, ou as leis não serão mais respeitadas ou as noções de moral e probidade recebidas irão desaparecer, a despeito do discurso dos moralistas, que é sempre muito fraco para resistir à força do exemplo. Quem declara infame ações que, em si, têm pouco significado, diminui a infâmia das ações que realmente o têm. A pena pela infâmia não deveria ser muito frequente, pois a força das opiniões enfraquece pela repetição; nem deveria ser infligida a muitas pessoas simultaneamente, pois a infâmia de muitos se transforma na infâmia de nenhum.

As punições físicas e dolorosas não devem ser aplicadas àqueles delitos que, baseados no orgulho, fazem da própria dor glória e alimento; aos quais se somam o ridículo e a infâmia. Penas adequadas são as que confrontam o orgulho dos fanáticos com o orgulho dos espectadores e cuja tenacidade, apenas com lentos e obstinados esforços, libertam a verdade. Assim, opondo uma força contra outra e opinião contra opinião, um legislador sábio porá um fim à admiração e à surpresa do povo, causada por um falso princípio, as bem conhecidas consequências do absurdo original, que costuma ser oculto do povo.

Essa é a maneira de não confundir as relações com a natureza invariável das coisas, que, não sendo limitadas no tempo e atuando constantemente, confundem e sobrepõem todos os limitados regulamentos que contradizem suas leis. Não é apenas a arte que tem como princípio universal a imitação fiel da natureza, mas também a política, ao menos a verdadeira, pois ela não é nada mais do que a arte de melhor unir e orientar os imutáveis sentimentos da humanidade.

DO ÓCIO

Um governo inteligente não sofrerá do ócio político entre o trabalho e a indústria. Ainda que declarações distorcidas, confundam o ócio político com aquele gozado pela indústria, que acumulou riquezas e que é necessário e útil, na medida em que a sociedade se expande e a administração se restringe. Eu chamo de politicamente ociosos aqueles que não contribuem nem com seu trabalho nem com sua riqueza para o bem da sociedade; aqueles que continuamente acumulam, mas nunca gastam; que são reverenciados, com estúpida admiração, pelos vulgares e vistos pelos sábios com desdém; aqueles que, sendo vítimas de uma vida monástica e tolhidos de todo incentivo às atividades necessárias à preservação ou ao aumento do conforto, devotam todo seu vigor a paixões de outro tipo, as paixões da opinião. Eu não chamo de politicamente ociosos àqueles que desfrutam as virtudes ou vícios de seus ancestrais e, em troca de seus prazeres, movimentam o trabalho dos mais pobres. Não é, portanto, a estreita virtude dos austeros moralistas que deve determinar quais os ócios merecem punição.

DO BANIMENTO E DO CONFISCO

Aquele que perturba a tranquilidade pública, que não obedece às leis, que viola as condições nas quais os homens se apoiam e defendem mutuamente deve ser excluído da sociedade, ou seja, banido.

O banimento deveria ser a punição daqueles que, sendo acusados de um crime cruel, são provavelmente, mas não certamente, culpados. Para tal, seria necessária a lei menos arbitrária e mais precisa possível, que condenaria ao banimento aqueles que reduziram a comunidade à atroz alternativa de temê-los ou puni-los injustamente, mas ainda deixando a eles o sagrado direito de provar sua inocência. As razões para banir um cidadão devem ser mais fortes do que aquelas que banem um estrangeiro e mais fortes para banir alguém que é acusado pela primeira vez do que aquele que é frequentemente acusado.

Deve aquele que foi banido para sempre de sua sociedade ser destituído de seus bens? Essa questão deve ser considerada sob diferentes aspectos. O confisco dos bens mais o banimento é uma punição maior do que somente o banimento; deve, então, haver alguns casos em que, de acordo com o crime, sejam confiscados todos os bens, ou apenas parte deles ou nada seja confiscado. Todos os bens deveriam ser confiscados quando a lei que determina o banimento declara que, de uma só vez, todos os vínculos ou relações entre a sociedade e o criminoso estão cortados. Nesse caso, o cidadão morre, permanecendo apenas o homem, e, com relação ao corpo político, a morte do cidadão tem as mesmas consequências da morte do homem. Nesse caso, então, os bens do criminoso deveriam ser devolvidos ao seu herdeiro legal. Mas não é por essa sutileza que desaprovo o confisco. Se alguns sustentaram que o confisco foi um freio às vinganças e aos abusos privados, ele só refletiu que, ainda que produza um bem, não será sempre justo, pois, para ser assim, deve ser necessário, e uma injustiça inútil não pode ser tolerada pelo legislador que deseja fechar as portas à tirania, que sob o lisonjeiro pretexto de uma vantagem momentânea estabeleceria permanentes princípios de destruição e, para advogar a facilidade de poucos ilustres, derramaria as lágrimas de milhares de pobres.

A lei que ordena o confisco determina um preço pela cabeça do fraco e faz o inocente pagar a pena do culpado, reduzindo-os à indigência e ao desespero, que os seduz ao crime. Pode haver um espetáculo mais triste do que uma família inteira arrastada à infâmia e à miséria pelos crimes de seu chefe? Um crime que, se fosse possível, não poderia ser impedido, pela submissão que as próprias leis criaram.

DO ESPÍRITO DE FAMÍLIA

É impressionante que muitos atos fatais de injustiça tenham sido aprovados e autorizados, mesmo pelos mais inteligentes e experientes homens, nas mais livres repúblicas. Isso se deve ao fato de que eles consideraram o Estado mais como uma sociedade de famílias do que de homens. Suponhamos uma nação composta de cem mil homens, divididos em vinte mil famílias de cinco pessoas cada, incluindo o chefe ou senhor da família, seu representante. Se fosse uma associação de famílias, haveria vinte mil homens e oitenta mil escravos, mas, se fosse uma associação de homens, então haveria cem mil deles e nenhum escravo.

No primeiro caso, vemos uma república e vinte mil pequenas monarquias, das quais os chefes de família são os soberanos; no segundo caso, o espírito de liberdade não apenas sopra em cada local público da cidade e nas assembleias da nação, mas também nas casas, onde o homem encontra a maior parte de sua felicidade ou desgraça. Como as leis e os costumes são sempre o efeito da percepção dos membros da república, se a sociedade for uma associação de chefes de família, o espírito de monarquia irá gradualmente abrir caminho dentro da própria república, já que seus efeitos somente serão restringidos pelos interesses opostos de cada um e não pelo espírito universal de liberdade e igualdade. O espírito de família é um espírito de pequenez e limitado a pequenos problemas. O espírito público, ao contrário, é influenciado pelos princípios gerais e, com base nos fatos, cria regras gerais de utilidade para a maioria.

Em uma república de famílias, os filhos permanecem sob a autoridade do pai, enquanto ele viver, e são obrigados a esperar até sua morte para ter uma vida dependente apenas da lei. Habituados, em seus primeiros anos de vida, a ajoelhar e tremer, quando suas emoções naturais eram menos contidas pelos cuidados obtidos com a experiência, ou seja, pela moderação, como poderiam eles resistir àqueles obstáculos, que vício sempre opõe à virtude, na fraqueza e no declínio da idade, quando a dificuldade em colher frutas já é suficiente para abafar o vigor de suas decisões?

Em uma república em que cada homem é um cidadão, a subordinação familiar não é um efeito compulsório, mas de acordo; e os filhos, livres da natural dependência que a fraqueza da infância e a necessidade de educação exigem, tornam-se membros livres da sociedade, mas continuam subordinados ao chefe da família, para sua própria conveniência, como na grande sociedade.

Em uma república de famílias, os jovens, que são a parte mais numerosa e útil da nação, dependem da decisão de seus pais; em uma república de homens, eles estão vinculados a seus pais unicamente pelo sagrada e inviolável obrigação da assistência mútua e pela gratidão aos benefícios que receberam; um sentimento destruído não tanto pela maldade do coração humano, mas por uma errônea sujeição às leis estabelecidas.

Essas contradições entre as leis da família e as leis fundamentais do Estado também são fonte de muitas outras discrepâncias entre a moralidade pública e privada, que produz um eterno conflito mental. A moral doméstica inspira submissão e medo, a outra, coragem e liberdade. A primeira instrui o homem a confinar sua bondade a um pequeno grupo de pessoas que não é de sua escolha, a segunda, a estendê-la a toda humanidade. A moral privada ordena o contínuo sacrifício de si mesmo a um ídolo inútil chamado "bem da família", que quase sempre não é um bem para nenhum dos membros que a compõem; a moral pública ensina a considerar seus próprios interesses, sem ofender às leis, ou estimula o supremo sacrifício pelo bem de seu país, recompensando de antemão com o fanatismo que a inspira. Tais contradições são os motivos pelos quais o homem negligencia a busca da virtude, que eles dificilmente conseguem distinguir em meio à obscuridade e confusão natural dos objetos. Quantas vezes um homem, voltando-se a suas ações passadas, surpreende-se ao perceber-se desonesto?

Em proporção à expansão da sociedade, cada um de seus membros torna-se uma parte cada vez menor do todo, e o espírito republicano diminui na mesma proporção se negligenciado pelas leis.

As sociedades políticas, como o corpo humano, têm seus próprios limites, que não podem ser excedidos, sem perturbar a economia. É como se a grandeza do Estado tivesse de ser inversamente proporcional à sensibilidade e às atividades dos indivíduos. Mas se, ao contrário, a população e as atividades aumentassem na mesma proporção, as leis teriam dificuldades em prevenir os crimes motivados pelos bens que ela produziu. Uma república que cresceu demais só pode ser salva do despotismo pela subdivisão em um número de outras repúblicas federadas. Mas como isso é possível? Através de um ditador despótico que, com a coragem de Silla, tenha a mesma capacidade de construir que os romanos tiveram para destruir? Se ele for um homem ambicioso, sua recompensa será a glória imortal? Se for um filósofo, a gratidão de seus cidadãos será suficiente consolo pela perda de sua autoridade, ainda que ele não seja insensível à ingratidão?

Na proporção em que os sentimentos que nos unem ao Estado diminuem, aqueles que nos ligam aos objetos que nos rodeiam mais proximamente, aumentam, portanto, nos governos mais despóticos, amizades são mais duráveis e as virtudes domésticas, que são sempre das classes mais baixas, são as mais comuns, ou mesmo as únicas existentes. Assim, nota-se quão limitada tem sido a visão da maioria dos legisladores.

DA BRANDURA DAS PENAS

O curso das minhas ideias me afastou do meu objetivo, para o qual eu agora retorno.

Os crimes são mais efetivamente prevenidos pela certeza das penas do que por sua severidade. Daí, em um magistrado, a necessidade da vigilância e em um juiz, de ser implacável; o que pode ser uma virtude, no caso de uma legislação branda. A certeza de uma pequena punição causa uma impressão mais grave do que o medo de uma pena mais severa unido à esperança de impunidade; pois é da natureza humana temer o mal mais próximo e inevitável, enquanto que a esperança, o melhor dom dos Céus, tem o poder de dissipar a apreensão do mal maior, especialmente se reforçado pelos exemplos da impunidade, que a fraqueza ou a avareza frequentemente proporcionam.

Se as penas são muito severas, os homens são naturalmente levados a cometer outros crimes, para compensar a primeira punição. As épocas e os países mais notórios pela severidade de suas penas foram sempre aqueles nos quais as ações mais sangrentas e desumanas e os mais atrozes crimes foram cometidos, pois a mão do legislador e do assassino foi guiada pelo mesmo espírito de ferocidade que, no trono, ditou as leis de ferro para escravos e selvagens e, privadamente, instigou o súdito a sacrificar um tirano para abrir espaço a outro.

Proporcionalmente à crueldade das penas, as mentes dos homens, da mesma forma que a altura dos fluídos se equilibra, tornam-se mais duras e insensíveis e, com a continuidade da força dos interesses, dentro de cem anos, a roda da tortura não aterrorizará mais do que a prisão de hoje. Para que uma pena tenha seu efeito, basta que o mal da pena exceda o bem promovido pelo crime e, neste excesso de mal, deve ser calculada a infalibilidade da pena e a perda do bem que o delito produziu. Toda a severidade acima desses limites é supérflua e, portanto, tirânica.

Os homens regulam sua conduta pelas repetidas impressões do mal que conhecem e não por aquele aos quais ignoram. Vamos, por exemplo, supor duas nações, em uma das quais a maior punição é a escravidão perpétua e, na outra, a roda da tortura: eu digo que ambas irão inspirar o mesmo grau de terror e que, se existe uma razão para levar para a primeira as maiores penas da segunda, o mesmo motivo serviria para acrescentar as penas desta última, passando, insensivelmente, da roda de tortura para os tormentos mais lentos e estudados, até os últimos refinamentos dessa ciência, tão bem conhecida pelos tiranos.

Há, ainda, duas outras consequências das penas cruéis, que contrariam o propósito de suas instituições, que é o de prevenir os crimes. A primeira surge da impossibilidade de estabelecer uma proporção exata entre o crime e a pena pois, embora a crueldade engenhosa tenha multiplicado a variedade de torturas, a estrutura humana só pode sofrer até certo grau, além do qual é impossível prosseguir, por pior que seja o crime. A segunda consequência é a impunidade. A natureza humana tem limites, tanto na maldade quanto na bondade, e um espetáculo excessivamente atroz não será mais do que um furor passageiro, e não um sistema permanente, apoiado pelas leis. Assim, se as leis forem muito cruéis, devem ser modificadas ou a anarquia e a impunidade prevalecerão.

Como é possível, sem estremecer de pavor, ler a história dos bárbaros e suas inúteis torturas, que foram friamente inventadas e executadas por homens que eram chamados de sábios? Quem não tremeria ao pensar nos milhares de desgraçados, cuja miséria, causada ou tolerada pelas leis que favoreciam a poucos e ultrajavam a muitos, forçava ao desespero do retorno ao estado natural, ou ao pensar nos acusados de crimes impossíveis, produzidos pela tímida ignorância, ou nos punidos por serem fiéis aos próprios princípios; quem, eu digo, pode não se horrorizar ao pensar que eles são retalhados, com lenta e estudada barbárie, por homens dotados das mesmas paixões e sentimentos? Um espetáculo grandioso para uma multidão fanática!

DA PENA CAPITAL

A inútil profusão de penas, que nunca fez o homem melhor, me induz a pensar se as penas de morte são realmente justas ou úteis em um Estado bem governado. Que direito, pergunto, tem um homem de cortar a garganta de um semelhante? Certamente não aquele sobre o qual a soberania e as leis estão fundamentadas. As leis, como eu disse anteriormente, são apenas a soma de pequenas porções de liberdade privada de cada indivíduo e representam a vontade geral, que é o agregado das vontades de cada indivíduo. Alguém, algum dia, deu a outro alguém o direito de lhe tirar a vida? Por que, no mínimo sacrifício da liberdade de cada um, pode estar o sacrifício máximo entre todos os bens, a vida? E, se assim é, como compatibilizar um princípio com outro, de que o homem não tem o direito ao suicídio, mas deveria ter, se teve de dar a outros, ou à sociedade inteira, o direito de lhe tirar a própria vida?

Mas a pena capital não é autorizada por quaisquer direitos, pois, como demonstrei, tais direitos não existem. É portanto uma guerra entre toda uma nação contra um único cidadão, cuja destruição é considerada necessária ou útil para o bem geral. Se eu puder demonstrar que a pena de morte não é útil nem necessária, terei ganhado a causa da humanidade. A morte de um cidadão só pode ser necessária em dois casos: quando, mesmo privado de sua liberdade, ele tem tantas relações e vínculos, que pode pôr em perigo a segurança da nação e sua existência possa produzir uma perigosa revolução na forma estabelecida de governo. Mas, mesmo nesse caso, ela é necessária somente quando a nação estiver à beira de recuperar ou perder sua liberdade, ou em tempos de absoluta anarquia, quando a desordem toma o lugar das leis. Contudo, em um reino de tranquilidade, em uma forma de governo aprovada pelos desejos reunidos de uma nação, em um Estado bem munido, dentro e fora, da força e da opinião, talvez mais eficaz do que a própria força, onde o comando encontra-se nas mãos do verdadeiro soberano, onde as riquezas compram prazeres, não autoridade, eu não vejo necessidade alguma de destruir o cidadão, a não ser quando ela for o único e verdadeiro freio para desestimular outros a cometer o mesmo crime, e esse é o segundo motivo pelo qual pode-se considerar justa e necessária a pena capital.

Se a experiência de todas as épocas não for suficiente para provar que a pena de morte nunca impediu homens determinados de prejudicar a sociedade, se o exemplo dos romanos, se vinte anos de reinado de Elisabete, imperatriz da Rússia, que aboliu a pena de morte e deu ao povo um exemplo mais ilustre do que aquele que muitos conquistadores conseguiram obter com sangue, eu digo, se tudo isso não for suficiente para persuadir a humanidade, para quem a voz da razão é sempre suspeita e a da autoridade, eficaz, consultemos a natureza humana para comprovar minha afirmação.

Não é a intensidade da dor que causa o maior efeito na mente, mas sua duração, pois nossos sentidos são mais fácil e fortemente afetados pelas impressões mais fracas e duradouras do que por aqueles impulsos mais violentos e momentâneos. O poder do hábito é universal sobre todos os seres. É através dele que aprendemos a falar, andar e satisfazer nossas necessidades; da mesma forma, as ideias de moralidade são gravadas em nossas mentes por repetidas impressões. A morte de um criminoso é um espetáculo terrível, mas momentâneo e, portanto, um método menos eficaz de impedir a outros do que o exemplo contínuo de um homem privado de sua liberdade, condenado a reparar com seu trabalho, como uma besta de carga, os males que causou à sociedade. Se eu cometer um crime igual, diz a si mesmo um espectador, eu serei reduzido a essa miserável condição pelo resto de minha vida. Um preventivo muito mais poderoso do que o medo da morte, que o homem sempre enxerga como algo distante e obscuro.

O terror da morte causa uma impressão tão leve que não tem força suficiente para resistir ao esquecimento natural dos seres humanos, mesmo nas coisas mais essenciais, especialmente quando estimulada pela paixão. Regra geral: as impressões violentas surpreendem, não por longo tempo, mas são adequadas a fazer aquelas revoluções que o homem comum faz, ou que fazem os Espartanos ou Persas, mas em um governo livre e tranquilo, eles devem ser mais frequentes do que fortes.

A execução de um criminoso é um espetáculo que em alguns da multidão causa compaixão e indignação. Esses sentimentos ocupam a mente muito mais do que o salutar terror que a lei esforça-se em inspirar; mas, ao contemplar o sofrimento contínuo, o terror é o único ou, pelo menos, o predominante sentimento. O limite do rigor das penas que o legislador deve fixar parece consistir no sentimento de compaixão, quando começa a transparecer, mais do que qualquer outro, no ânimo dos espectadores, que o suplício é feito mais para ele do que para o condenado.

Uma pena, para ser justa, deveria ter apenas aquele grau de severidade que é suficiente para desestimular aos outros. Nenhum homem, capaz de refletir minimamente, poria em jogo a total e permanente perda de liberdade em troco da maior das vantagens que pudesse obter em consequência de um crime.

A escravidão perpétua, então, tem nela tudo o que é necessário para desestimular o mais duro e determinado criminoso quanto à pena capital. E eu digo que tem até mais. Há muitos que podem encarar a morte com coragem e firmeza, alguns pelo fanatismo e outros pela vaidade, que existe durante toda nossa vida; outros ainda por uma desesperada determinação de livrar-se da miséria ou acabar com sua vida. Mas fanatismo e vaidade não se dispõem à decapitação, escravidão ou aprisionamento, e o desespero não acaba com seus males, mas começa.

A mente, reunindo todas as suas capacidades e forças, pode, por um momento, rechaçar um sofrimento violento, mas seus mais vigorosos esforços são insuficientes para resistir à miséria perpétua.

Em todas as nações em que a morte é usada como pena, cada exemplo supõe um novo crime cometido, enquanto que, na escravidão perpétua, cada criminoso proporciona um frequente e duradouro exemplo. Se for necessário que os homens sempre testemunhem o poder das leis, será sempre necessário condenar os criminosos à pena capital, mas isso supõe uma frequência de crimes e, por consequência, essas penas deixarão de ter efeito, passando a ser, ao mesmo tempo, úteis e inúteis.

Já ouvi que a escravidão perpétua é tão dolorosa como punição quanto a pena de morte e, portanto, tão cruel quanto ela. Respondo que, se todos os momentos de desgraça na vida de um escravo fossem colocados em um único ponto, a escravidão seria a pior pena entre todas, mas eles são distribuídos ao longo de toda sua vida, enquanto a dor da morte exerce toda sua força em um único momento. Também há outra vantagem na pena de escravidão: ela é mais trágica ao espectador do que ao próprio condenado, pois o espectador considera a soma de todos os seus momentos de desgraça, enquanto o condenado, pela miséria do presente, evita pensar no futuro. Todos os males são amplificados pela imaginação, e o condenado encontra recursos e consolações que o espectador ignora e que julga por seus próprios padrões de infelicidade aquilo que passa na cabeça do condenado.

Vamos, por um momento, utilizar o raciocínio de um ladrão ou de um assassino, que é dissuadido de violar as leis pela forca ou pela roda de tortura. Eu admito que desenvolver os sentimentos do próprio coração é uma arte que somente a educação pode ensinar, embora um criminoso possa não ser capaz de, com clareza, dar conta de seus próprios princípios, eles, contudo, influenciam sua conduta. Portanto, ele raciocina assim: que leis são essas que devo respeitar que trazem uma diferença tão grande entre mim e os ricos? Ele se recusa a me dar as migalhas que peço e se desculpa por obrigar-me a um trabalho que ele não conhece. Quem fez essas leis? Homens ricos e poderosos que jamais se dignaram a visitar a esquálida cabana de um pobre, que nunca dividiram um pão mofado entre os filhos que gritavam de fome e a mulher que chorava. Rompamos esses vínculos fatais à maioria e benéfico a poucos e indolentes tiranos, ataquemos a injustiça em sua fonte. Voltarei ao meu estado de independência natural, viverei livre e feliz por um tempo, com os frutos do meu trabalho; talvez, um dia, venha a dor do arrependimento, mas esse tempo será breve e terei um dia de sofrimento para muitos anos de liberdade e prazer. Rei de um pequeno grupo, corrigirei os erros da sorte e verei esses tiranos empalidecerem e tremerem na presença daquele que com uma insultante pompa subordinavam a seus cavalos e seus cães.

Então, a religião se apresenta à mente dos fora da lei e, prometendo a quase certeza da felicidade eterna para um arrependimento simples, contribui muito para diminuir o horror daquela última tragédia.

Mas aquele que antevê que deverá passar muitos anos, talvez toda a vida, sofrendo como escravo daquelas leis que o protegem, à vista de seus concidadãos, com quem ele vive livre e em sociedade, promove uma útil comparação entre os males, considerando a incerteza de seu sucesso e o pouco tempo pelo qual ele poderá usufruir do fruto de sua transgressão. O exemplo de tais desgraças, continuamente diante de seus olhos, causa uma impressão muito maior do que uma pena, que em vez de corrigir o torna mais obstinado.

A pena capital é perniciosa à sociedade, pelos exemplos de barbarismo que ela proporciona. Se as paixões, ou a necessidade da guerra, ensinaram os homens a derramar o sangue de seu semelhante, as leis, que são feitas para moderar a ferocidade humana, não deveriam ser barbáries que servem de trágico e funesto exemplo, apresentando a morte com pompa e circunstância. Não é um absurdo que as leis que refutam e punem os homicídios devam, para prevenir os assassinatos, elas próprias, matar? Quais são as leis verdadeiras e mais úteis? Aqueles pactos e condições nos quais todos propõem e respeitam nos momentos em que o interesse privado se cala ou se combina com o interesse público. Quais são os sentimentos naturais das pessoas em relação à pena de morte? Nós o vemos nos atos de indignação e de desprezo com os quais todos olham para o carrasco que, no entanto, é um inocente executor da vontade pública, um bom cidadão que contribui para o bem público, um instrumento tão necessário à segurança pública interna quanto os valorosos soldados o são para a segurança pública externa. Qual é, então, a origem dessa contradição?

E por que é indelével nos homens esse sentimento de afronta à razão? É porque, em um canto secreto de sua mente, onde as impressões originais da natureza ainda estão preservadas, os homens descobriram um sentimento que lhes diz que suas vidas não estão em poder de ninguém nem de nada que não seja a necessidade, que, com seu cetro de ferro, rege o universo.

O que devem pensar os homens quando veem sábios magistrados e solenes sacerdotes da justiça, com indiferença e tranquilidade, arrastando um criminoso para a morte e enquanto o desgraçado treme em agonia, esperando pelo golpe fatal, o juiz que o condenou, com a mais fria insensibilidade e talvez também com secreta complacência com a própria autoridade, deixa seu tribunal para gozar os confortos e prazeres da vida? Eles dirão: "Ah! Estas cruéis formalidades da justiça são um pretexto para a tirania, são uma linguagem secreta, um véu solene que esconde a espada que nos sacrifica ao insaciável ídolo do despotismo. O assassinato, que eles querem nos fazer ver como um crime horrível, é praticado por eles sem repugnância nem remorso. Vamos seguir seu exemplo. Uma morte violenta é descrita por eles como terrível, mas nós vemos que ela é apenas um ato momentâneo e será menos terrível àquele que, morrendo sem esperar, livra-se de quase todo o sofrimento". É esse o raciocínio que, se não com clareza, ao menos confusamente, torna os homens dispostos ao crime, nos quais, como vimos, o abuso da religião tem mais influência do que ela própria.

Se me confrontassem o exemplo de que todas as nações, em todas as épocas, usaram a pena capital para punir certos crimes, eu responderia que a força desses exemplos desapareceria quando confrontada com a verdade, contra a qual não há prescrição. A história da humanidade é um imenso mar de erros, sobre o qual algumas obscuras verdades podem ser encontradas flutuando aqui e ali.

Porém, o sacrifício humano é comum em quase todas as nações. O fato de que algumas sociedades são pequenas, ou, por pouco tempo, abstiveram-se de punir com a morte, favorece meu argumento, pois esse fato está em acordo com a grande verdade, cuja duração é tão rápida quanto um relâmpago na longa e escura noite dos erros que envolve a humanidade. Os tempos felizes ainda não chegaram, quando as verdades, como as falsidades têm sido até agora, serão a porção maior.

Reconheço que a voz solitária de um filósofo é muito fraca para ser ouvida ante o clamor da multidão, cegamente influenciada por um hábito, mas há um pequeno grupo de sábios espalhados pela face da Terra, que farão eco de minhas palavras, do fundo de seus corações; e, se a verdade pudesse, entre os infinitos obstáculos que a separam de um monarca, para sua felicidade, chegar ao trono, saibam que ela chegará com os votos secretos de toda a humanidade e dirá ao soberano que sua fama irá superar a glória dos conquistadores e que uma posteridade de equidade irá exaltar seus troféus de paz, acima daqueles de Tito, Antonini. Como seria feliz a humanidade se as leis fossem feitas agora, que vemos nos tronos da Europa monarcas benevolentes, ligados às virtudes da paz, das artes e das ciências, pais de seus povos e, embora coroados, ainda cidadãos, cujo aumento de autoridade eleva a felicidade dos súditos, ao destruir aquele despotismo intermediário que impede as preces do povo de chegar ao trono. Se príncipes tão humanos deixam subsistir antigas leis, isso nasce da dificuldade infinita de remover-lhes a ferrugem dos erros de muitos séculos, e isso é mais um motivo para que os cidadãos iluminados desejem, com maior ardor, o aumento de sua autoridade.

DA PRISÃO

Um erro não menos incomum e contrário ao fim social da segurança individual é permitir que um magistrado, executor das leis, tenha o livre-arbítrio de aprisionar um cidadão, de tirar a liberdade de um inimigo, por motivos fúteis, mas deixar impune um amigo, apesar de concretas provas de sua culpa.

A prisão é uma pena que, diferentemente das outras, deve, por necessidade, ser precedida pela declaração do crime; mas esse caráter específico não lhe tira outro essencial, de que somente a lei pode determinar os casos nos quais um homem deve ser penalizado. A lei deve, portanto, determinar o crime, a presunção e a prova suficientes para sujeitar o acusado à prisão e ao interrogatório. Sua fama, fuga, confissão extrajudicial, confissão de um cúmplice, ameaças, sua constante inimizade com a vítima, as circunstâncias do crime e outras provas podem ser suficientes para justificar a prisão de um cidadão, mas a natureza dessas provas deve ser determinada pela lei e não pelos magistrados, cujos decretos são sempre contrários à liberdade política, quando não existem condições específicas dentro da máxima geral dos códigos públicos.

Quando as penas tornarem-se menos severas e as prisões menos terríveis, quando compaixão e humanidade penetrarem os portões de ferro das masmorras e guiarem os obstinados e implacáveis ministros da justiça, as leis poderão, então, ser satisfeitas com menores provas para a ordem de prisão.

Um homem acusado, aprisionado, julgado e absolvido não deve ser marcado pela infâmia. Entre os romanos, vimos que muitos acusados de grandes crimes, e posteriormente declarados inocentes, eram respeitados pelo povo e homenageados com empregos no Estado. Mas por que o destino de um inocente é tão diferente em nossa época? É porque o atual sistema de leis penais apresenta em nossas mentes a ideia de poder, em vez de justiça; é porque o condenado e o acusado são jogados, indiscriminadamente, na mesma prisão; porque a prisão é mais uma punição do que uma forma de reter o acusado e porque as forças internas que defendem as leis e as forças externas que defendem o trono e o reino são separadas, quando deveriam ser unidas. Se a segunda fosse, sob a autoridade comum das leis, combinada com o direito de julgar, mas não imediatamente dependente do magistrado, a pompa e a formalidade que acompanham um corpo militar eliminariam a infâmia que, na opinião popular, é mais vinculada à maneira do que à coisa propriamente dita; e uma prisão militar, na opinião popular, não é tão infame quanto a civil.

Porém, o barbarismo e a ferocidade de nossos ancestrais, os caçadores do norte, ainda subsistem entre o povo em nossos costumes e nossas leis, que sempre estão vários anos atrás do presente refinamento da nação.

DO PROCESSO E DA PRESCRIÇÃO

Obtidas as provas do crime e sendo determinada sua certeza, é necessário oferecer ao acusado tempo e meios para sua defesa, mas um tempo suficientemente curto para não diminuir a prontidão da pena que, como demonstramos, é um dos meios mais poderosos na prevenção do crime.

Uma errônea humanidade pode protestar pelo pouco tempo, mas a força da objeção desaparecerá se considerarmos que o risco do inocente aumenta com as deficiências da legislação.

O tempo para inquérito e defesa deve ser fixado pelas leis, não pelo juiz, que, nesse caso, torna-se legislador. Em relação aos crimes atrozes, que são lembrados por muito tempo, uma vez que sejam provados, se o criminoso fugir, não deve ser concedido nenhum tempo; mas, em crimes menos significativos e mais obscuros, deve ser fixado um tempo, após o qual o delinquente não deve mais ter dúvida de seu destino, pois neste último caso a passagem do tempo, na qual o crime é quase esquecido, evita o exemplo de impunidade e permite ao criminoso se corrigir e tornar-se um melhor membro da sociedade.

Aqui, princípios gerais serão suficientes, visto que é impossível fixar precisamente os limites de tempo para todas as legislações, ou para toda a sociedade, em todas as circunstâncias. Eu apenas devo acrescentar que, em uma nação disposta a provar a utilidade das penas moderadas, leis que, de acordo com a natureza do crime, aumentam ou diminuem o tempo do inquérito e da defesa, considerando a prisão ou o exílio voluntário do acusado como parte da pena, formarão uma divisão fácil entre um pequeno número de penas moderadas para um maior número de crimes.

Porém, deve-se observar que o tempo do inquérito e da defesa não deve ser proporcional à atrocidade do crime, pois a probabilidade dos crimes é inversa à sua atrocidade.

Portanto, o tempo para o inquérito deve, em alguns casos, ser diminuído, e aquele para a defesa, aumentado. Isso parece contradizer o que eu disse acima, que penas iguais podem ser decretadas para crimes diferentes, considerando o tempo dado ao acusado para defesa ou o tempo de prisão anterior à sentença como pena.

Para explicar minha ideia, devo dividir os crimes em duas categorias: a primeira compreende os homicídios e todos os grandes crimes; a segunda, crimes de menor importância. Essa distinção está baseada na natureza humana. A preservação da vida é um direito natural, enquanto que a preservação da propriedade é um direito social. Os motivos que empurram o homem além do seu sentimento natural de piedade, que é destruído antes que grandes crimes sejam cometidos, são muito menores em número do que aqueles que, do natural desejo de ser feliz, instigam a violar um direito que não é fundamentado no coração humano, mas no trabalho da sociedade.

Os diferentes graus de probabilidade nessas duas classes requerem que sejam regulados com base em princípios diferentes. Nos maiores crimes, que são menos frequentes e a probabilidade de inocência do acusado é maior, o tempo disponibilizado a ele para defesa deveria ser maior e o tempo de inquérito, menor, pois, apressando a sentença definitiva, são eliminadas as doces esperanças de impunidade, que são tão mais danosas, quanto mais atroz é o crime.

Ao contrário, em crimes de menor importância, a probabilidade da inocência sendo menor, o tempo de inquérito deve ser maior e o da defesa, menor, uma vez que a impunidade não é tão danosa.

Porém, a divisão dos crimes em duas categorias não deve ser admitida se as consequências da impunidade forem em proporção à probabilidade do crime. Considere que um homem acusado, cuja culpa ou inocência não tenha sido determinada, seja liberado por falta de provas. Caso essas provas surjam dentro do tempo estabelecido pela lei, ele poderá ser novamente aprisionado pelo mesmo crime.

Este é, em minha opinião, o melhor modo de proporcionar, ao mesmo tempo, segurança e liberdade aos súditos, sem que uma seja favorecida em detrimento da outra, de maneira a que esses dois bens, que formam um patrimônio igual e inalienável de todos os cidadãos, não sejam protegidos, um pelo despotismo declarado ou oculto e outro pela turbulenta anarquia popular.

DOS CRIMES DIFÍCEIS DE PROVAR

Com os precedentes princípios em vista, parecerá surpreendente que a razão raramente prevaleceu na formação das leis das nações; que os crimes mais atrozes ou mais obscuros e quiméricos, ou seja, aqueles dos quais a improbabilidade é maior, sejam provados por conjecturas e com as provas mais frágeis e equivocadas; como se as leis e os juízes tenham interesse não em buscar a verdade, mas em provar o crime; como se não houvesse maior risco de condenar um inocente quando a probabilidade de sua culpa é menor. Falta, na maior parte dos homens, aquele vigor necessário tanto para os grandes crimes quanto para as grandes virtudes, por isso, parece que uns são sempre contemporâneos aos outros naquelas nações que se sustentam mais pelas atividades do governo e pelas paixões em favor do público do que pela constante bondade das leis. Neles, as paixões, enfraquecidas, parecem mais adequadas a manter do que a melhorar a forma de governo. Isso, naturalmente, leva a uma importante conclusão: que grandes crimes nem sempre produzem a destruição da nação.

Há alguns crimes que, embora frequentes na sociedade, são difíceis de provar, já que a dificuldade da prova é equivalente à probabilidade da inocência do acusado. Mas, como a frequência desses crimes não é devida tanto à sua impunidade, quanto às outras causas, o perigo de que passem impunes é de menor importância e, portanto, o tempo de investigação e de defesa pode ser igualmente reduzido.

Esses princípios são diferentes daqueles comumente recebidos, pois é nos crimes que é provado com maior dificuldade, tais como adultério e sodomia, que presunções, provas incompletas etc. são admitidas; como se um homem pudesse ser meio inocente, ou seja, meio punido e meio absolvido. É nesses casos que a tortura deve exercer seu cruel poder na pessoa do acusado, da testemunha e mesmo de toda sua família. É assim que, com insensível indiferença, alguns doutores ensinam àqueles que tencionam ditar as leis da nação.

O adultério é um crime que, politicamente considerado, deve sua existência a duas causas: leis perniciosas e a poderosa atração entre os sexos. Essa atração é, em muitas circunstâncias, similar à gravidade, a mola mestra do universo. Da mesma forma, ela é diminuída pela distância; uma força regula os movimentos dos corpos, a outra, os da alma. Mas elas diferem em um ponto: a força da gravidade diminui em proporção aos obstáculos que a opõem, a outra ganha força e vigor quando o obstáculo aumenta.

Se falássemos às nações guiados apenas pelas leis da natureza, eu lhes diria que existe uma considerável diferença entre adultério e os outros crimes, visto que o primeiro procede do abuso de uma necessidade que é constante e universal na natureza humana; uma necessidade anterior à formação da sociedade e, sem dúvidas, a própria criadora da sociedade; enquanto todos os outros crimes tendem à destruição da sociedade e surgem de paixões momentâneas, não de necessidades naturais. É opinião daqueles que estudaram história e humanidade que essa necessidade é, no mesmo clima, sempre constante em grau. Se isso for verdade, é inútil ou, pior, pernicioso que as leis e costumes tentem diminuir a soma total dos efeitos dessa paixão. Tais leis somente sobrecarregam uma parte da sociedade com as necessidades adicionais da outra, mas, ao contrário, sábias são as leis que, seguindo o curso natural do rio, dividem a corrente em um igual número de braços, evitando que o solo fique estéril ou inundado.

A fidelidade conjugal é sempre maior quanto menos difícil e maior é o número de casamentos. Mas quando o interesse ou orgulho da família ou autoridade paternal e não o desejo das partes une os sexos, o galanteio logo quebra os frágeis laços, a despeito dos moralistas comuns, que protestam contra o efeito, enquanto perdoam a causa. Essas reflexões, porém, são inúteis àqueles que, vivendo na verdadeira religião, agem por motivos mais sublimes, que corrigem as eternas leis da natureza.

O adultério é um crime tão instantâneo e misterioso e tão envolvido pelo véu que as leis teceram, um véu necessário, mas tão transparente que, em vez de inibir, destaca os encantos do objeto; as oportunidades são tão frequentes e o perigo da descoberta tão fácil de ser evitado que é mais fácil às leis prevenir esse crime do que puni-lo quando cometido.

Para todo crime que, por sua natureza, deve frequentemente permanecer impune, a punição é um incentivo. Tal é a natureza da mente humana que essas dificuldades, se não intransponíveis, nem grandes demais para nossa indolência natural, embelezam o objeto e nos estimulam a persegui-lo.

São tantas as barreiras, que elas limitam a imaginação ao objeto e nos obrigam a considerá-lo sob todos os pontos de vista. Nesse movimento, a mente, naturalmente, se inclina e se fixa na parte mais agradável, cuidadosamente evitando quaisquer ideias que possam gerar aversão.

O crime de sodomia, tão severamente punido pelas leis, e para a prova do qual é utilizada a tortura que sempre triunfa sobre a inocência, tem seu fundamento mais nas paixões do homem sociável e escravo do que nas necessidades do homem isolado e livre. A sodomia adquire sua força não tanto da saciedade dos prazeres, quanto daquela educação que começa por tornar o homem inútil a si mesmo e útil aos outros, naqueles seminários em que a ardente juventude é cuidadosamente excluída de toda a convivência com o outro sexo e, quando o vigor da natureza aflora, é consumado de um modo não apenas inútil à humanidade, mas que acelera a velhice.

O assassinato de uma criança bastarda é, também, o efeito de um inevitável dilema no qual se encontra uma mulher que foi seduzida por sua fraqueza ou dominada pela força. As alternativas são a sua própria infâmia ou a morte de um ser que é incapaz de perceber a perda de sua vida. Como poderá deixar de optar pela última, em lugar da inevitável desgraça para ela e para a infeliz criança? A melhor solução para prevenir tais crimes seria proteger as mulheres fracas, de maneira eficaz, contra aqueles tiranos que exacerbam todos os vícios que não podem ser ocultos sob o manto da virtude.

Eu não pretendo diminuir a aversão que tais crimes merecem, mas descobrir as fontes das quais eles surgem e creio que elas levem às seguintes conclusões: que a punição de um crime pode não ser justa, ainda que necessária, se as leis não tiverem se esforçado para preveni-lo através das melhores maneiras que a época e os meios oferecem.

DO SUICÍDIO

O suicídio é um crime que parece não admitir punição, ou, propriamente falando, a pena não poderá ser infligida senão em um inocente ou sobre um insensível corpo morto. No primeiro caso, é injusto e tirânico, pois as liberdades políticas pressupõem que todas as penas sejam inteiramente pessoais; e, no segundo, tem o mesmo efeito que, por exemplo, açoitar uma estátua. A humanidade ama muito a vida, os objetos que a rodeiam, o sedutor fantasma do prazer e a esperança, o mais doce erro dos mortais, que faz os homens engolirem as maiores quantidades de maldade, misturadas a pouquíssimas gotas de bondade, cuja sedução é forte demais para perceber que a impunidade do suicídio possa ter qualquer influência sobre os homens.

As leis são obedecidas pelo medo da punição, mas a morte destrói tal sensibilidade. Qual motivo pode, então, deter a desesperada mão do suicida?

Aquele que mata a si mesmo causa um mal menor à sociedade do que aquele que deixa seu país para sempre, pois o suicida deixa todos os seus bens, enquanto que o outro leva consigo ao menos parte deles. Além disso, como a força da sociedade consiste no número de cidadãos, aquele que a deixa por outra torna-se uma perda dupla. Esta, então, é a questão: será vantajoso para a sociedade que seus membros gozem de ilimitado privilégio de migração?

Todas as leis que não estiverem armadas de força, ou que, em razão das circunstâncias, não sejam efetivas, não devem ser promulgadas e, como sobre as mentes reina a opinião que resiste às leis diretas e violentas e que obedece às lentas e indiretas impressões do legislador, assim as leis inúteis, desprezadas pelos homens, levam à desmoralização as mais saudáveis, que passam a ser vistas mais como um obstáculo a ser superado do que como uma salvaguarda dos bens públicos. Além disso, sendo nossa percepção limitada pela imposição da observância das leis que são evidentemente inúteis, destruímos também a boa influência daquelas que são mais saudáveis.

A partir desse princípio, o sábio administrador da felicidade pública pode tirar algumas conclusões úteis, cuja explanação me levaria muito longe de meu objetivo, que é provar a inutilidade de tornar a nação uma prisão. Tal lei é inútil pois, a menos que rochas inacessíveis ou mares não navegáveis separem um país de todos os outros, como fechar todas as fronteiras e como vigiar os vigilantes? Aquele que parte e tudo carrega consigo não pode ser punido por tê-lo feito. Ademais, esse crime, uma vez cometido, não pode ser punido, puni-lo de antemão seria penalizar a intenção e não a ação, o desejo, que está completamente fora do poder das leis dos homens.

Punir o ausente pelo confisco de seus bens, além da facilidade de conluio, que inevitavelmente seria o caso, e que, sem tirania, não poderia ser evitado, poria um ponto-final a todo o comércio com outras nações.

Punir o criminoso quando retornasse seria impedi-lo de reparar o mal que já cometeu à sociedade, tornado sua ausência perpétua. Também, qualquer proibição iria aumentar o desejo de partir e infalivelmente impediria o estrangeiro de estabelecer-se no país.

O que deveríamos pensar de um governo que não possui outros meios, senão o medo, para manter seus súditos em seu próprio país, ao qual, desde as primeiras impressões da infância, eles são tão vinculados? A maneira mais certa de manter os homens em seus lugares é fazê-los felizes; e é interesse de todo Estado inclinar a balança não apenas do comércio, mas também da felicidade, em favor de seus súditos.

Os prazeres do luxo não são as principais fontes dessa felicidade, embora, evitando um acúmulo muito grande de riquezas em poucas mãos, eles tornem-se um recurso necessário contra a desigualdade muito grande entre os indivíduos, que tende a aumentar com o progresso da sociedade.

Quando a população de um país não aumenta em proporção à sua extensão, o luxo favorece o despotismo, pois, onde o povo está mais disperso, há menos trabalho, e onde há menos trabalho a dependência do pobre na riqueza do rico é maior e a união dos oprimidos contra os opressores é menos temida. Nessas circunstâncias, homens ricos e poderosos conseguem obter mais facilmente distinção, respeito e servidão, que tornam mais perceptível a distância entre o forte e o fraco, pois é mais fácil obtê-las de poucos do que de muitos.

Ao contrário, onde o número de pessoas é maior em relação à extensão do país, o luxo se opõe ao despotismo, pois estimula a produção e a atividade humana e porque o trabalho dos pobres proporciona tantos prazeres aos ricos que eles descartam o luxo da ostentação, que lembraria ao povo sua dependência. Assim, vemos que, nos extensos e pouco habitados Estados, o luxo da ostentação prevalece sobre o da conveniência, mas em países mais populosos o luxo da conveniência tende, continuamente, a diminuir o luxo da ostentação.

Os prazeres do luxo têm esse inconveniente que, embora empreguem maior número de homens, eles são gozados por poucos e não impedem o sentimento de miséria, causado mais pela comparação entre riquezas dos indivíduos do que pela realidade. Mas a segurança e a liberdade, limitada apenas pelas leis, são aquelas que formam a base principal dessa felicidade, com as quais os prazeres do luxo favorecem a população, e sem as quais tornam-se o instrumento da tirania. Tal como os mais nobres e generosos animais fogem para a solidão e desertos inacessíveis e abandonam as férteis planícies ao homem, seu maior inimigo, também o homem, rejeita os prazeres quando estes são oferecidos pelas mãos da tirania.

Mas, retornando: se for demonstrado que a pena que aprisiona o homem em seu próprio país é inútil e injusta, portanto, também o será a pena para o suicídio e, assim, ainda que seja uma culpa que somente Deus pune, porque só pode punir depois da morte, não é um crime diante dos homens, pois a pena, em vez de recair sobre o próprio réu, recai sobre sua família.

Se eu fosse questionado que a consideração de tais penas poderia evitar tal crime, eu responderia: aquele que tranquilamente renuncia aos prazeres da existência, que odeia tanto a vida que aceita a ideia de uma eternidade infeliz, nunca será influenciado pelas opiniões mais distantes e menos poderosas da família e dos filhos.

DO CONTRABANDO

O contrabando é uma verdadeira agressão contra o soberano e a nação; mas a pena não deve marcar o agressor com a infâmia, pois esse crime não é infame na opinião pública. Infligindo penas infames a crimes que não são reputados como tal, desmerecemos o valor da infâmia nos crimes que realmente a merecem. Se a mesma pena for decretada tanto para quem mata um faisão, quanto para quem mata um homem, ou falsifica um documento, a diferença entre esses crimes logo desaparecerá, destruindo, desse modo, os sentimentos morais, obra de muitos séculos e de muito sangue, sentimentos muito lentos e difíceis de produzir na mente humana, para cujo estabelecimento foram necessários sublimes motivos e um grande aparato de formalidades. Esse crime nasce das próprias leis, pois quanto mais altos os impostos, maior é a vantagem. A tentação de fazer o contrabando e a facilidade em cometê-lo aumentam proporcionalmente ao aumento das fronteiras a serem vigiadas e à diminuição do volume da própria mercadoria.

A apreensão e a perda dos bens que se tentou contrabandear, juntamente com tudo aquilo que a acompanha, são justas, mas seria melhor diminuir os impostos, pois os homens assumem o risco na razão direta da vantagem esperada.

Sendo este um crime de roubo daquilo que pertence ao príncipe e, consequentemente, à nação, por que não é punido com a infâmia? Eu respondo que crimes que os homens não consideram nocivos não são suficientes para produzir indignação pública contra quem os comete. A maioria da humanidade, a quem remotas consequências não causam impressão, não vê o mal que pode resultar da prática do contrabando, especialmente se colhe dele alguma vantagem; ela somente percebe a perda sofrida pelo príncipe. Ela, então, não se interessa tanto em privar de sua convivência aquele que comete o contrabando, quanto aquele que comete um roubo ou é um falsário, ou outro crimes dos quais ela venham a sofrer as consequências. Princípio evidente que todos os seres sensíveis não se interessam a não ser pelos males que conhecem.

Deveria então, esse crime, cometido por alguém que nada tem a perder, passar impune? Não. Há certos tipos de contrabando que afetam tão especialmente a receita, uma parte tão essencial e administrada com tanta dificuldade, que seus autores merecem prisão ou mesmo escravidão; mas prisão e escravidão proporcionais ao crime. Por exemplo, seria muito injusto que um contrabandista de tabaco sofresse a mesma pena de um ladrão ou assassino, mas estaria mais de acordo com a natureza do delito que produto de seu trabalho fosse aplicado ao uso da coroa que ele pretendia fraudar.

DO ASILO

Os asilos são justos? E o acordo entre as nações para troca de prisioneiros é útil?

Por toda a extensão de um Estado político, não deveria haver locais independentes das leis. O poder deveria seguir cada um dos súditos, como a sombra segue o corpo. Asilo e impunidade diferem apenas na intensidade e, como o efeito das penas dependem mais na certeza de sua aplicação do que em sua força, os homens são mais fortemente convidados ao crime pela existência dos asilos do que dissuadidos pela punição. Aumentar o número de asilos é erguer muitas pequenas soberanias, pois, onde as leis não têm poder, novos corpos serão formados em oposição ao bem público e será estabelecida uma mentalidade contrária àquela do Estado.

A história nos informa que, pelo uso dos asilos, surgiram as maiores revoluções em reinos e em opiniões.

Alguns desejam que, em qualquer país no qual seja cometido um crime, ou seja, um ato contrário às leis da sociedade, o criminoso seja, justamente, punido em qualquer outro, como se o caráter do súdito fosse indelével, ou equivalente ou pior do que aquele de um escravo; como se um homem pudesse viver em um país e estar sujeito às leis de outro, ou responder por seus atos a dois soberanos ou a dois códigos legais, frequentemente contraditórios. Também há aqueles que pensam que um ato de crueldade cometido, por exemplo, em Constantinopla, possa ser punido em Paris, baseado na abstrata razão de que aquele que agride a humanidade, deve ter inimigos em toda a humanidade e ser objeto de execração universal; como se os juízes devessem ser cavaleiros errantes da natureza humana em geral, em vez de guardiões de um pacto específico firmado entre os homens. O local de punição não pode ser outro que aquele onde o crime foi cometido, pois a necessidade de punir um indivíduo, pelo bem geral, existe lá, e somente lá. Um criminoso que não tenha quebrado as convenções de uma sociedade da qual ele, supostamente, não seja membro deve ser temido e forçosamente banido e excluído daquela sociedade, mas não deve ser formalmente punido pelas leis feitas para manter o pacto social e não para punir a maldade intrínseca das ações.

Se é útil que as nações troquem criminosos? Embora havendo a certeza de não existir qualquer parte da Terra onde os crimes não sejam punidos, pode haver um modo de preveni-los; eu não gostaria de responder a essa questão, até que as leis sejam mais coerentes com as necessidades e direitos da humanidade e até que penas mais brandas e a abolição do poder arbitrário da opinião possam proporcionar segurança à virtude e à inocência oprimidas e até que a tirania seja confinada às planícies da Ásia e a Europa reconheça o império universal da razão, pela qual o interesse dos soberanos e súditos são mais bem unificados.

DA RECOMPENSA PELA CAPTURA A FORAGIDOS

Deixem-me questionar agora se é vantajoso para a sociedade estabelecer um preço pela cabeça de um criminoso e, assim, transformar cada cidadão em um carrasco. Se o criminoso refugiou-se em outro Estado, o soberano encoraja seus súditos a cometer um crime e a expor-se a uma justa pena; ele insulta aquela nação e autoriza os súditos a cometer, em nações vizinhas, delitos semelhantes. Se o criminoso permanece em seu país, estabelecer um prêmio por sua cabeça é a maior demonstração de fraqueza do governo, pois aquele que tem força para defender-se não busca ajuda de outro. Além disso, tal decreto confunde todas as ideias de virtude e moralidade, já muito hesitante na mente do homem.

Às vezes a traição é punida pelas leis, às vezes encorajada. Com uma mão o legislador estreita os laços de família, parentesco e amizade e, com a outra, recompensa a violação de ambas. Sempre em contradição consigo mesmo, ora convida as desconfiadas mentes dos homens à mútua confiança, ora planta a desconfiança em cada coração. São esses os expedientes de uma nação fraca, cujas leis são como remendos em um edifício em ruínas. Ao contrário, conforme uma nação torna-se mais esclarecida, honestidade e confiança mútua tornam-se mais necessárias e tendem dia a dia, a unir-se à boa política.

Ações artificiais, tramadas, obscuras e indiretas são mais facilmente descobertas, e o interesse coletivo é mais bem assegurado contra as paixões dos indivíduos.

Os séculos de ignorância, nos quais a moral pública prega que os homens obedeçam à moral privada, servem de aprendizado e experiência para os séculos mais esclarecidos, mas leis que recompensam a traição estimulam guerras clandestinas e desconfiança mútua e opõe aquela união necessária entre moralidade e política, que é a base da felicidade e da paz universal.

DOS ATENTADOS, CÚMPLICES E PERDÃO

As leis não punem a intenção, contudo, uma tentativa que manifesta a intenção de cometer um crime merece punição, embora, talvez, menor do que se o crime tivesse efetivamente sido consumado. A importância de prevenir mesmo tentativas de que se cometa um crime autoriza uma punição, mas, como deve haver um intervalo de tempo entre a tentativa e a execução, a maior pena ao ato cometido pode incentivar a desistência.

Da mesma maneira, em relação aos cúmplices, eles não devem sofrer penas tão severas quanto aquele que efetivamente executa o crime, mas por uma diferente razão: quando alguns homens se unem para correr determinado risco, quanto maior o perigo, mais eles se esforçam para distribuí-lo igualmente. No entanto, se os cabeças forem punidos mais severamente do que os demais parceiros, evitará que o perigo seja igualmente dividido e aumentará a dificuldade em encontrar uma pessoa para executar o crime, já que seu risco é maior pela diferença da pena.

A única exceção que pode haver a essa regra é quando o cabeça recebe uma recompensa de seus parceiros. Nesse caso, como a diferença do perigo é compensada, a pena deveria também o ser. Tais reflexões podem parecer muito refinadas àqueles que não consideram que é de grande importância que as leis deixem aos criminosos o menor número possível de meios para que haja acordo entre eles.

Alguns tribunais oferecem o perdão a um cúmplice de um crime se delatar seus parceiros. Tal expediente tem suas vantagens e desvantagens. As desvantagens são: que as leis autorizam a traição, que é odiada mesmo entre criminosos e introduz crimes de covardia, que são muito mais perniciosos do que os crimes de coragem. A coragem não é comum e só precisa de um poder benevolente para guiá-lo ao bem público. Covardia, ao contrário, é um mal frequente, interesseiro e contagioso, que nunca poderá ser transformado em virtude. Ademais, o tribunal que recorre a esse método demonstra sua falibilidade e as leis, suas fraquezas, ao implorar ajuda daqueles que a violaram.

As vantagens são: que ele previne grandes crimes, cujos efeitos, sendo conhecidos pelo público e ocultos os autores, amedronta o povo. Também contribui para provar que, aquele que viola as leis, que são pactos públicos, também viola os pactos privados.

A mim parece que, uma lei geral, prometendo uma recompensa para todo cúmplice que delatar seu parceiro, é melhor do que uma declaração especial em cada caso específico, pois poderia prevenir a união desses criminosos, uma vez que iria inspirar desconfiança mútua e, individualmente, cada um teria medo de expor-se sozinho ao perigo. O cúmplice, contudo, deveria ser perdoado, mas na condição de deportado. Mas é inútil que eu me atormente, no esforço de eliminar o remorso que sinto em tentar induzir nas sagradas leis, monumentos da confiança pública, bases da moralidade humana, a autoria da dissimulação e da perfídia. Porém, que exemplo seria para a nação ver os intérpretes da lei quebrarem sua promessa de perdão e, na força das sutilezas e, para escândalo da fé pública, levar à punição aquele que aceitou seu convite! Tais exemplos não são incomuns, e por isso a sociedade política é considerada uma máquina complexa, cujos mecanismos são movidos pelo talento dos mais hábeis e mais poderosos.

DE UM TIPO ESPECIAL DE CRIME

O leitor irá notar que eu omiti a menção a certo tipo de crime que cobriu a Europa de sangue e levantou aquelas horríveis pilhas, de onde, entre nuvens rodopiantes de fumaça, os gemidos das vítimas, o crepitar de seus ossos e o fritar de suas entranhas ainda pulsantes eram um agradável espetáculo de agradável harmonia à fanática multidão.

Porém, homens sagazes perceberão que a época e o país onde vivo não me permitem questionar a natureza desse crime. Seria muito tedioso e estranho ao meu tema provar a necessidade de uma perfeita uniformidade de opiniões em um Estado contrário ao exemplo de muitas nações; provar que opiniões que se distinguem umas das outras somente em poucas, sutis e obscuras diferenças, além do alcance da capacidade humana, podem, todavia, perturbar a tranquilidade pública, provar quando uma opinião é autorizada em detrimento de outra e que, sendo essas opiniões contrárias e opostas umas às outras, em sua colisão arranquem a verdade; enquanto outras, frágeis, precisam do apoio da força e da autoridade. Eu digo que teria de ir muito longe se tivesse de provar o quão odioso, seja qual for, é o império da força sobre a opinião da humanidade, de quem somente vai obter dissimulação seguida por desprezo e, embora possa parecer contrário ao espírito da humanidade e ao amor fraternal, nos ordena pela razão e autoridade, que respeitamos mais, sendo ela, não obstante, necessária e indispensável.

Devemos acreditar que todos esses paradoxos são resolvidos além da dúvida e estão em acordo com o verdadeiro interesse da humanidade, se praticado por uma autoridade legal. E escrevo somente sobre crimes que violam as leis da natureza e o pacto social, e não sobre pecados, de cujas penas, ainda que temporais, devem ser regulados por outros princípios, além da limitada filosofia humana.

DAS FALSAS IDEIAS DE UTILIDADE

Uma das principais fontes de erros e injustiça são as falsas ideias de utilidade. Por exemplo: tem falsas ideias de utilidade o legislador que considera mais as conveniências particulares do que as gerais; que manda nos sentimentos humanos em vez de estimulá-los e ousa dizer à razão: "Seja um escravo"; que sacrifica mil vantagens verdadeiras por medo de uma imaginária ou insignificante inconveniência; que priva o homem do uso do fogo pelo medo de que ele se queime e da água pelo medo que ele se afogue; e que não sabe outro meio de prevenir o mal senão destruindo-o.

As leis dessa natureza são aquelas que proíbem o uso de armas, desarmando somente aqueles que não estão dispostos a cometer crimes, que a lei tenta evitar. Pode-se supor que aqueles que têm a coragem de violar as mais sagradas leis da humanidade e as mais importantes do código respeitarão as menos consideráveis e mais arbitrárias injunções, cujas violações são tão fáceis e, comparativamente, de tão pouca importância? A execução dessa lei não priva o súdito de sua liberdade pessoal, tão prezada pela humanidade e pelo legislador sábio? E ela não sujeita o inocente a todas as desagradáveis circunstâncias que deveriam recair sobre o culpado? Certamente, torna pior a situação do atacado e melhor a situação do atacante e ainda encoraja, mais do que evita, o assassinato, pois menos coragem é necessária para atacar um homem desarmado.

Falsa ideia de utilidade é aquela que quer dar a uma multidão de seres sensíveis a simetria e a ordem que sofre a matéria bruta e inanimada, que negligencia os motivos presentes, que com constância e força agem sobre a multidão, para dar força aos distantes, cujas impressões são fracas e transitórias, exceto se aumentadas por aquela força de imaginação tão rara entre os humanos.

Finalmente, é uma falsa ideia de utilidade aquela que, sacrificando a coisa ao nome, separa o bem público daquele individual.

Há uma diferença entre o estado da sociedade e o estado da natureza, na qual o homem selvagem não faz mais mal a outro, do que aquele que basta para fazer bem a si mesmo, mas o homem social é, às vezes, movido pelas más leis, a agredir outros sem fazer bem a si mesmo.

O tirano despeja medo e servidão em seus vassalos, mas ele reflete e volta com o dobro da força e é a causa de seu tormento. Medo, quanto mais privado e doméstico ele é, menos perigoso torna-se para quem o faz instrumento de sua felicidade, mas, quanto mais público e quanto maior o número de pessoas que ele afeta, maior é a possibilidade que algum louco, desesperado ou astuto seduza outros para sua festa com lisonjeiras expectativas; e isso será mais facilmente realizado quando o perigo da iniciativa for dividido entre um maior número, pois o valor que a infelicidade impõe sobre sua existência é menor quanto maior for sua desgraça.

DAS CIÊNCIAS

Quer evitar os crimes? Faça com que a liberdade seja acompanhada do conhecimento. Conforme o conhecimento se expande, as desvantagens que acompanham o crime diminuem e as vantagens aumentam. Um ousado impostor, que sempre é um homem de alguma inteligência, é adorado pela população ignorante e desprezado pelos homens de grande conhecimento.

O conhecimento facilita a comparação entre objetos, a partir de diferentes pontos de vista. Quando as nuvens da ignorância são dissipadas pelo brilho do conhecimento, a autoridade pode tremer, mas as leis permanecem imóveis, pois não há homem de grande conhecimento que não ame os públicos, claros e úteis pactos de segurança, comparando o pouco de inútil liberdade sacrificada por ele, com a soma de todas as liberdades sacrificadas por outros homens que, sem essas leis, poderiam conspirar contra ele.

É falso que as ciências tenham sempre prejudicado a humanidade e, quando o foram, o mal foi inevitável. A multiplicação da espécie humana sobre a Terra introduziu a guerra, os rudimentos da arte e as primeiras leis, que eram pactos temporários, surgidos da necessidade e que com ela pereceram. Essa foi a primeira filosofia dos homens e seus poucos elementos eram justos, pois a indolência e a falta de sagacidade dos primeiros habitantes do mundo os preservava dos erros. Mas a necessidade cresceu com o aumento da humanidade, impressões mais fortes e duradouras foram necessárias para evitar o retorno ao estado de barbárie que se tornava cada dia mais fatal.

Fizeram um grande bem aos humanos aqueles primeiros erros que popularam a Terra com falsas divindades (quero dizer, grande bem político) e que criaram um universo invisível, que regulava o nosso. Os grandes benfeitores da humanidade foram aqueles que ousaram enganar e levar a maleável ignorância para os pés do altar. Apresentando às mentes dos vulgares coisas além do limite de seus sentidos, que fugiam de seu alcance e sempre se esquivavam de sua busca e que, por não conseguir compreender, nunca ofendiam, suas diferentes paixões eram unificadas e vinculadas a um único objeto.

Essa foi a primeira transição de todas as nações de seu estado selvagem. Essa foi, talvez, a única forma de união de todas as sociedades primitivas. Eu não falo do povo escolhido de Deus, para quem os mais extraordinários milagres e os mais significativos favores supriram o lugar da política humana, mas, como é da natureza do erro dividir-se infinitamente, também aquele falso conhecimento que dele nasce transformou a humanidade em uma fanática multidão, que desordenadamente destruía uns aos outros dentro do labirinto ao qual foram levados. Assim, não é de se admirar que algumas mentes sensíveis e filosóficas tenham retornado a seu antigo estado de barbárie. Essa foi a primeira época em que o conhecimento, ou melhor, as opiniões, foram fatais.

A segunda transição pode ser encontrada na difícil e terrível passagem do erro para a verdade, da escuridão para a luz. O violento choque entre uma massa de erros úteis a poucos poderosos e as verdades tão importantes à maioria e aos fracos, com a fermentação das paixões estimuladas naquela ocasião, produziram infinito mal aos infelizes mortais. No estudo da história, cujos principais períodos, após certos intervalos, se parecem muito uns com os outros, frequentemente observamos que, na necessária passagem do obscurantismo da ignorância para a luz da filosofia e da tirania à liberdade, sua consequência natural, uma geração sacrificou-se para a felicidade da seguinte. Mas quando essa chama é extinta e o mundo arranca de seus males a verdade, após um lento progresso, ela senta-se ao trono com os monarcas e é venerada nas assembleias das nações.

Devemos então acreditar que a luz, difundida entre os povos, é mais destrutiva do que a escuridão que o conhecimento da relação das coisas pode ser fatal à humanidade?

Se a ignorância cega é menos fatal do que um conhecimento medíocre e limitado, pois esta acrescenta aos males da primeira aqueles erros inevitáveis de quem tem uma visão limitada ao lado oposto da fronteira da verdade, o homem iluminado é o dom mais precioso que o soberano pode dar à nação e a si mesmo, tornando-o depositário e defensor das santas leis. Tal homem, contrário a ver a verdade e não temê-la, privado da maior parte das imaginárias e insaciáveis necessidades que tão frequentemente colocam a virtude à prova e, acostumados a contemplar a humanidade do mais elevado ponto de vista, considera sua nação como uma família e seus concidadãos como irmãos; a distância entre o grande e o vulgar lhe parece tão pequena quanto é grande a humanidade que tem diante dos olhos.

O filósofo tem necessidades e interesses desconhecidos pelo povo e os maiores são: não desmentir à luz pública aquilo que é ensinado na obscuridade e amar a verdade em si mesma.

Tais poucos filósofos constituiriam a felicidade da nação, que, contudo, seria breve, exceto se, através de boas leis, seu número aumentasse de forma a diminuir a probabilidade de uma escolha eleitoral inadequada.

DOS MAGISTRADOS

Outro método de prevenir os crimes é fazer da observância das leis, e não de sua violação, o interesse dos magistrados.

Quanto maior o número de membros do tribunal, menor é o perigo da corrupção, pois sua tentativa será mais difícil e o poder e a tentação de cada indivíduo serão proporcionalmente menores.

Se o soberano, pela pompa e autoridade de seus decretos e por recusar-se a ouvir as queixas dos oprimidos, acostumar seus súditos a respeitar aos magistrados mais do que às leis, os magistrados realmente se beneficiarão, mas à custa da segurança pública e privada.

DAS RECOMPENSAS

Outro método, ainda, de prevenir os crimes é recompensar a virtude. Um tema cujas leis de todas as nações silenciam. Se as recompensas oferecidas pelas academias pela descoberta de verdades úteis aumentaram nosso conhecimento e multiplicaram os bons livros, não é provável que recompensas distribuídas pelas caridosas mãos dos soberanos também multiplicariam as ações virtuosas?

A moeda de honra é inesgotável e é abundantemente frutífera nas mãos de um príncipe que as distribui com sabedoria.

DA EDUCAÇÃO

Finalmente, o método mais seguro de prevenir crimes é aperfeiçoar o sistema educacional. Mas este é outro tema muito vasto e excede os meus planos. Um tema, se devesse me aventurar a comentá-lo, que é tão intimamente ligado com a natureza do governo, que sempre permanece um objeto estéril, cultivado apenas por poucos e sábios homens.

Um grande homem, perseguido por aquele mundo que iluminou e a quem devemos muitas importantes verdades, detalhou cuidadosamente os princípios da educação útil, que consiste principalmente em apresentar às mentes um pequeno número de temas selecionados que substituam as cópias pelos originais dos fenômenos físicos e morais, guiando o pupilo na virtude, através da fácil estrada do sentimento e protegendo-o do mal pelo infalível poder das inconveniências necessárias, em vez do comando, que somente consegue uma falsa e momentânea obediência.

DO PERDÃO

Conforme as penas tornam-se mais brandas, clemência e perdão são menos necessários. Feliz a nação nas quais eles são considerados perigosos.

A clemência, que sempre foi considerada um substituto suficiente a todas as outras virtudes de um soberano, deveria ser excluída em uma legislação perfeita, onde as penas são moderadas e os processos criminais regulares e rápidos.

Essa verdade irá parecer cruel àqueles que vivem em nações onde, pelo absurdo de suas leis e severidade de suas penas, o perdão e a clemência do príncipe são necessários. De fato, é uma das mais nobres prerrogativas do trono, mas, ao mesmo tempo, uma desaprovação tácita das leis. Clemência é uma virtude que pertence ao legislador e não ao executor das leis; uma virtude que deve resplandecer no código, não no julgamento privado.

Mostrar que os crimes são, às vezes, perdoados e que a pena não é uma consequência necessária, é alimentar a esperança de impunidade e é a causa de considerar toda pena infligida, um ato de injustiça e opressão. O perdão do príncipe abre mão da segurança pública em favor da individual e, por sua mal avaliada benevolência, proclama um ato público de impunidade.

Que seja, então, inflexível o executor das leis, mas que se deixe a sensibilidade a indulgência e a humanidade para o legislador. Ele é o sábio arquiteto que ergue a construção sobre as fundações do amor-próprio e forja o interesse de que aquilo que é público, seja também o interesse de cada indivíduo. Que não seja ele obrigado, por leis especiais e procedimentos irregulares, a separar o bem público do individual e erguer a imagem de felicidade pública baseada no medo e desconfiança, mas como um sábio filósofo, deixe que seus irmãos gozem em paz aquelas pequenas porções de felicidade que o imenso sistema, estabelecido pela primeira Razão, permite saborear na Terra, localizada em um canto do Universo.

Um pequeno crime, às vezes, é perdoado, se a vítima optar por perdoar o agressor. Este pode ser um ato de boa natureza e humanidade, mas é contrário ao bem público, pois embora um cidadão tenha o direito de, em boa-fé, perdoar uma agressão recebida, ele não tem o direito de eliminar a necessidade do exemplo. O direito de punir não pertence a um indivíduo em particular, mas à sociedade em geral, ou ao soberano. Ele pode renunciar à sua porção desse direito, mas não pode delegá-lo a outro.

CONCLUSÃO

Concluo com esta reflexão que a severidade das penas deve ser proporcional ao estado da nação. Entre povos recém-saídos da barbárie, elas devem ser mais severas, pois são necessárias impressões mais fortes; mas, conforme as mentes dos homens tornam-se abrandadas pelas relações da sociedade, a severidade das penas deve ser diminuída se o desejo é de que as necessárias relações entre os objetos e as sensações sejam mantidas.

Daquilo que escrevi, resulta o seguinte teorema, de considerável utilidade, embora em desacordo com os costumes, o legislador comum das nações:

Que a pena não seja um ato de violência de um ou de muitos contra um membro da sociedade. Ela deve ser pública, imediata e necessária, a menor possível para o caso, proporcional ao crime e determinada pelas leis.

Páginas: 128
Família Tipografia: Electra LT Std
Composição: Lumiar Design Estúdio